KiWi
1450
P9-EME-734

Das Buch
Zwölf Jahre ist es her, da begann ein Fischlein namens Zwiebelfisch seine abenteuerliche Reise durch den Irrgarten der deutschen Sprache. Viel hat es dabei erlebt und zahlreiche Freunde gewonnen. Die Kolumnen des Zwiebelfischs wurden unter dem Titel »Der Dativ ist dem Genitiv sein Tod« zu einem der größten Bestseller des Jahrzehnts und der Zwiebelfisch unter seinem Klarnamen Bastian Sick zu einer bekannten Größe der deutschen Unterhaltungskunst. Seit 2004 sind fünf Bände erschienen, die sich millionenfach verkauften. Nun erscheint der sechste und letzte Teil. Darin stellt der Autor noch einmal einige besonders bemerkenswerte sprachliche Phänomene vor. Total verrückte Filmtitel, rätselhafte Abkürzungen, stillose Werbung und die Abschaffung der Schreibschrift sind nur ein paar seiner Themen. Außerdem enthalten: Sicks schmissige »Ode an den Konjunktiv« und seine Antwort auf die Frage einer Schülerin »Was ist Liebe?«.

Der Autor
Bastian Sick, geboren in Lübeck, studierte Geschichtswissenschaft und Romanistik. Während seines Studiums arbeitete er als Korrektor für den Hamburger Carlsen Verlag. 1995 wurde er Dokumentationsjournalist beim SPIEGEL, 1999 wechselte er in die Redaktion von SPIEGEL ONLINE. Dort schrieb er ab 2003 die Sprachkolumne »Zwiebelfisch«. Aus diesen heiteren Geschichten über die deutsche Sprache wurde die Buchreihe »Der Dativ ist dem Genitiv sein Tod«. Es folgten zahlreiche Fernsehauftritte und eine Lesereise, die in der »größten Deutschstunde der Welt« gipfelte, zu der 15.000 Menschen in die Kölnarena strömten. Seitdem war Bastian Sick mehrmals mit Bühnenprogrammen auf Tournee, in denen er eine neuartige Mischung aus Lesung, Kabarett und Quizshow präsentierte. In zwölf Jahren schrieb er zwölf Bücher. Zuletzt erschien von ihm »Füllen Sie sich wie zu Hause«. Bastian Sick lebt und arbeitet in Hamburg und in Niendorf an der Ostsee.

Weitere Titel bei Kiepenheuer & Witsch
»Der Dativ ist dem Genitiv sein Tod. Ein Wegweiser durch den Irrgarten der deutschen Sprache«, KiWi 863, 2004 (liegt auch als gebundene Schmuckausgabe vor). »Der Dativ ist dem Genitiv sein Tod – Folge 2. Neues aus dem Irrgarten der deutschen Sprache«, KiWi 900, 2005. »Der Dativ ist dem Genitiv sein Tod – Folge 3. Noch

mehr Neues aus dem Irrgarten der deutschen Sprache«, KiWi 958, 2006. »Happy Aua. Ein Bilderbuch aus dem Irrgarten der deutschen Sprache«, KiWi 996, 2007. »Zu wahr, um schön zu sein. Verdrehte Sprichwörter – 16 Postkarten«, KiWi 1050, 2008. »Happy Aua – Folge 2. Ein Bilderbuch aus dem Irrgarten der deutschen Sprache«, KiWi 1065, 2008. »Der Dativ ist dem Genitiv sein Tod – Folge 1–3 in einem Band. Ein Wegweiser durch den Irrgarten der deutschen Sprache«, KiWi 1072, 2008. »Der Dativ ist dem Genitiv sein Tod. Das Allerneueste aus dem Irrgarten der deutschen Sprache«, KiWi, 1134, 2009. »Hier ist Spaß gratiniert. Ein Bilderbuch aus dem Irrgarten der deutschen Sprache«, KiWi 1163, 2010. »Wir sind Urlaub – Das Happy-Aua-Postkartenbuch«, KiWi 1190, 2010. »Wie gut ist Ihr Deutsch? Der große Test«, KiWi 1233, 2011. »Der Dativ ist dem Genitiv sein Tod – Folge 5«, KiWi 1312, 2013. »Wir braten Sie gern! Ein Bilderbuch aus dem Irrgarten der deutschen Sprache«, KiWi 1346, 2013. »Füllen Sie sich wie zu Hause. Ein Bilderbuch aus dem Irrgarten der deutschen Sprache«, KiWi 1410, 2014.

Bastian Sick

Der Dativ ist dem Genitiv sein Tod

Folge 6

Mit Illustrationen von
Katharina M. Ratjen und Annika Trosien

Kiepenheuer & Witsch

Verlag Kiepenheuer & Witsch, FSC® N001512

1. Auflage 2015 (18.000 Exemplare)

Umschlaggestaltung: Barbara Thoben, Köln
Sonnenblumen: © doris oberfrank-list; Holzschild: © Andreykuzmin | Dreamstime.com; Hintergrund: © Bastian Sick
Autorenfoto: © Till Gläser
Emoji (S. 180-183): Twitter, Inc and other contributers, lizenziert unter CC-BY 4.0, 2014
Illustrationen: Katharina M. Ratjen und Annika Trosien (die beiden Goethe-Bilder)
Gesetzt aus der DTL Documenta und der Meta Plus
Satz: Buch-Werkstatt GmbH, Bad Aibling
Druck und Bindung: CPI books GmbH, Leck
ISBN 978-3-462-04803-2

Inhalt

Auf ein Sechstes!

Vor etwa einem Jahr lernte ich ein neues Fremdwort kennen: Hexalogie. Es ist griechisch und bedeutet Sechsteiler. Ich weiß nicht mehr, in welchem Zusammenhang ich es gelesen habe, aber es gefiel mir und prägte sich mir ein. Vielleicht war es dieses Wort, das mich veranlasste, einen sechsten Band mit Sprachgeschichten zu schreiben. Damit ich auf die Frage »Und? Was hast du so getrieben in der letzten Zeit?« antworten kann: »Ach, so dies und das: den Keller aufgeräumt, den Garten auf Vordermann gebracht – und eine Hexalogie vollendet.«
Ein anderer Grund ist, dass ich es liebe, zu schreiben und Geschichten zu erzählen. Das war schon immer so. Kaum hatte ich in der Grundschule das Schreiben gelernt, begann ich, Oktavhefte mit selbsterdachten Geschichten zu füllen; anfangs noch in recht eigenwilliger Orthografie. Eine Geschichte fiel mir unlängst wieder in die Hände, sie spielt in Paris, und da ist von zwei Freunden die Rede, die die Champs-Élysées entlangspazieren. Nur hatte ich es mit meinen acht Jahren etwas anders geschrieben, nämlich »Schonseliese«. Ein paar Jahre später, in der fünften Klasse, schrieb ich einen Historienroman, eine abenteuerliche Geschichte von Machtspielen und Verrat mit dem Titel »Die gestohlene Krone«. Meine Mitschüler erhielten darin Rollen als Könige und Fürsten, als Ratgeber, Hofdamen, kühne Ritter oder treue Diener. In der großen Pause las ich das jeweils neueste Kapitel vor, umringt von meinen Klassenkameraden, die darauf brannten zu erfahren, was als Nächstes mit ihnen passierte. Irgendwann begann sich unser Deutschlehrer darüber zu wundern, dass wir nicht wie die anderen auf dem Schulhof tobten, sondern im Klassenzimmer blieben, wo einer etwas vorlas und die anderen gespannt zuhörten.

Also nahm er mich am Ende einer Pause zur Seite und verlangte das Buch zu sehen, aus dem ich da immer vorlas. Ich wurde rot und erklärte, dass es gar kein richtiges Buch sei, sondern etwas, das ich selbst geschrieben habe. Verlegen reichte ich ihm das Heft, und während er darin blätterte, war ich mir sicher, dass er mich ob meiner kindlichen Fantastereien tadeln würde. Doch er wollte lediglich von mir wissen, ob ich mir das alles selbst ausgedacht habe. Ich bejahte die Frage. Er nickte bedächtig und sagte, das sei bemerkenswert. Zuerst verstand ich nicht, was er damit meinte, doch dann wurde es mir klar, denn er verfügte, dass ich ab sofort nicht mehr in den Pausen daraus vorlesen solle, sondern zu Beginn einer jeden Deutschstunde, wenn alle Schüler auf ihren Plätzen saßen. Damit alle davon profitieren könnten, sagte er. So erhielt ich mit zehn Jahren mein erstes Auditorium. Und eine Ermutigung, die ich nie vergessen werde. Die besten Lehrer sind diejenigen, die ihren Schülern Flügel verleihen. Dass ich einmal Geschichten und Bücher über die deutsche Sprache schreiben würde, war damals natürlich noch nicht abzusehen. Das ergab sich erst viele Jahre später aus meiner Tätigkeit als Korrekturleser in der Redaktion von »Spiegel Online«. Mit dem reinen Korrigieren mochte ich mich auf Dauer nicht begnügen, und so ging ich dazu über, launige Rundmails an die Kollegen zu schreiben, in denen ich mich über stilistische Fragen ausließ. Hier ein Beispiel vom November 2002:

> Liebe Kollegen! Seit einiger Zeit häufen sich in unseren Teasern Konstruktionen wie
>
> »Das Ausmaß der Katastrophe ist offenbar verheerender als bisher angenommen« oder
> »Der Schuldenberg soll noch höher sein als bisher vermutet« oder

»Die Zahl der Opfer ist offenbar noch höher als bislang bekannt« oder
»In Afghanistan verschanzen sich weit mehr Terroristen als zunächst gedacht.«

Ich halte dies für noch ermüdender als bislang zugegeben.
Vielleicht denkt ihr alle noch intensiver darüber nach als bisher bekannt.
Möglicherweise können wir unsere Artikel dann noch attraktiver gestalten als bislang vermutet.
Mit noch freundlicheren Grüßen als zunächst gedacht – euer Bastian

Dies brachte meinen damaligen Chef auf die Idee, mich eine Kolumne schreiben zu lassen. So erschien vor zwölf Jahren der erste »Zwiebelfisch« auf »Spiegel Online«. Anfangs ging es darin ausschließlich um journalistischen Stil, um Phrasendrescherei und Übersetzungspannen. Dass sich der Schwerpunkt der Kolumne mit der Zeit auf Rechtschreibung und Grammatik verlagerte, ist den Lesern zu verdanken, die der sprachliche Wildwuchs im Internet, in der Werbung und im Fernsehen zunehmend befremdete. Ein Thema tauchte dabei immer wieder auf: der Genitiv. Der zweite Fall wurde zu meinem Markenzeichen – auch wenn ich für viele »der mit dem Dativ« bin.

Freilich lässt sich nicht behaupten, dass sich die Situation des Genitivs in den zwölf Jahren seit Erscheinen der ersten »Zwiebelfisch«-Kolumne zum Besseren gewendet habe. Aus der Sprache vieler Publikationen und Sendungen scheint er heute verschwunden. Selbst einige Lehrer wollen ihn nicht mehr unterrichten.

Auf der Internetseite der »Deutschakademie«, einer privaten Sprachschule, die sich selbst »DeutschAkademie« schreibt, erfährt man über den Genitiv Folgendes:

> Die zweite Form, die Nomen oder Pronomen haben können, heißt »Genitiv«. Sie zeigt den Besitz einer Person an und ist heute schon nicht mehr üblich. Normalerweise ersetzt man den Genitiv durch die Präposition »von« in Kombination mit der dritten Form, dem »Dativ«. Die Dativ-Frage ist »wem?« und zeigt, dass **Dativ** immer für **eine Person** steht.
> Der Ball von dem Kind. Von **WEM**? – Dem Kind (Objekt im Dativ)

Davon abgesehen, dass der Text irreführende Aussagen enthält (nicht nur Personen, auch Dinge können im Dativ stehen), ist die Behauptung, der Genitiv sei »heute schon nicht mehr üblich«, etwas voreilig. Hätte es geheißen, der Genitiv werde »umgangssprachlich heute seltener gebraucht«, könnte man nicht widersprechen, doch in ihrer generalisierenden Form ist die Behauptung nicht haltbar.

Zwar gibt es heute schon Radiosender, die mit der offiziellen Anweisung arbeiten: »Keinen Genitiv! Das überfordert die Hörer!« Dabei handelt es sich jedoch nicht um Sender, die das Wort »Info« oder »Kultur« im Namen tragen, sondern eher um solche, die etwas mit »Hit« oder »Antenne« heißen.

Ich bin mir sicher – dem Dativ zum Trotz: Der Genitiv wird überleben. Nicht in der Umgangssprache, nicht in den Dialekten – dort war er nie zu Hause. Auch nicht in der Sprache der Radiomoderatoren und der Werbetexter. Der Genitiv war nie ein Volksgut, sondern immer ein Bildungsgut.
Zum sechsten Mal wird sich diese Buchreihe seiner Sache annehmen. Nicht um seiner in stiller Trauer zu gedenken,

sondern um aus lauter Lust am Schönen und Besonderen des Genitivs lebendig gewahr zu sein.

Ich danke Ihnen, verehrte Leserinnen und Leser, dass Sie meine Arbeit über so viele Jahre mit Interesse und Wohlwollen begleitet haben, mir immer wieder neue Anregungen geliefert und mir die Möglichkeit gegeben haben, das Thema Sprache auf viele verschiedene Weisen zu behandeln: in Geschichten, Bilderbüchern, Bühnenshows, Liedern und Gedichten. Und mit einem Gedicht möge dieses Buch darum auch beginnen. Vorhang auf für den sechsten Teil der Hexalogie »von dem Dativ und des Genitivs«.

Bastian Sick
Niendorf/Ostsee, im August 2015

Keine andere Sprache

Ich kann surfen, ich kann joggen,
Ich kann mailen, sogar bloggen.
Ich kann skypen, Freunde liken,
Bilder beamen, Filme streamen.

Ich kann jammen, ich kann slammen,
Ich kann powern, ich kann fighten.
Ich kann moven, richtig grooven,
Und dank Englisch sogar kiten.

Aber keine andere Sprache auf der Welt
Bringt zum Ausdruck, was mir so an dir gefällt;
Und in keiner anderen Sprache sage ich,
Was ich für dich fühle: Ich liebe dich.

Ich kann twittern, ich kann chillen,
Und mit Blicken manchmal killen.
Ich kann learning it by doing
Und gemein sein wie ein Ewing.

Englisch öffnet viele Türen
Und erfüllt moderne Träume;
Doch im Herzen zu berühren,
Schaff ich nur mit Deutsch alleine.

Denn keine andere Sprache auf der Welt
Bringt zum Ausdruck, was mir so an dir gefällt;
Und in keiner anderen Sprache sage ich,
Was ich für dich fühle: Ich liebe dich.

Ich mag dein Lächeln, nicht dein Smiling,
Und deinen Stil, nicht bloß dein Styling.
Und mein Gefühl für dich ist mehr,
Als es ein Feeling jemals wär.

Du bist erregend, nicht exciting,
Und deine Augen nicht inviting,
Und weder grey noch green noch blue;
Ich sag dir niemals: I love you.

Denn keine andere Sprache auf der Welt
Bringt zum Ausdruck, was mir so an dir gefällt;
Und in keiner anderen Sprache sage ich,
Was ich für dich fühle: Ich liebe dich.

Mann Gottes und des Genitivs

Dass sich der Genitiv im Deutschen bis heute gehalten hat, ist vor allem einem Mann zu verdanken: Dr. Martin Luther. Ohne Luther wäre der zweite Fall womöglich längst aus unserer Sprache verschwunden, so wie im Englischen und im Niederländischen, wo man ihn allenfalls noch unter dem Etikett »historisch« kennt.

Ein Leser hat sich vorgenommen, bis zum 500. Reformationstag im Jahr 2017 die gesamte Bergpredigt nach der Lutherbibel auswendig zu lernen. Und er hofft, noch 499 andere zu finden, die es ihm gleichtun. Darüber laufe schon jetzt eine Wette, schrieb er mir. Zu dumm, dass »Wetten, dass ..?« inzwischen eingestellt worden ist. Die Sendung hätte sich des Themas bestimmt gern angenommen, wenn auch nur in gekürzter Form, denn die Bergpredigt umfasst drei Kapitel des Matthäus-Evangeliums, das ist eine Menge Text.
Grundsätzlich halte ich das Auswendiglernen von Gedichten, Volksliedern und Klassikern der Literatur für eine produktive Form der Auseinandersetzung mit Kultur. Man kann sich natürlich fragen: Warum ausgerechnet die Bergpredigt? Darin ist zwar von Seligpreisung, Vergebung und Versöhnung die Rede, doch geht es auch recht dogmatisch zu: »Wer also ein noch so unbedeutendes Gebot übertritt ... der wird in der neuen Welt Gottes der Geringste sein«, heißt es in Kapitel 5, Vers 19. Und ein paar Verse später: »Wer sich von seiner Frau trennt ..., der zerstört ihre Ehe. Und wer eine Geschiedene heiratet, wird zum Ehebrecher.«
So lesen wir es jedenfalls in der heutigen, überarbeiteten Ausgabe der Lutherbibel. Im Originaltext aus dem 16. Jahrhundert las sich vieles noch anders. Da wurde nicht ge-

zürnt, sondern gezörnt. Und nicht beschuldigt, sondern beschüldigt. Und die Hölle war keine finstere Hölle mit »ö«, sondern um einiges heller: Wer »schüldig« war, der kam »in die Helle«.
Anderen winkte dafür Seligkeit: den Friedfertigen, den »Barmhertzigen« und den »Senfftmütigen«. Sanftheit wurde zu Luthers Zeiten offenbar noch mit Senf gemacht. Das Kämmerlein war ein Kemmerlin, und wenn man sich darin zurückzog, um zu beten, so empfahlen Luthers Worte: »Schleus die Thür zu.«
Es gab noch keine Dehnungsbuchstaben, dafür viele »th« und Doppel-»f« (»Und wer da anklopfft / dem wird auffgethan.«). Und manche Endung, wie sie uns heute seltsam erscheint: »Auge umb auge, Zan umb zan.«
Das Pronomen »du« verschmolz bei Luther gern mit dem Verb: »Sollst du« wurde zu »soltu« und »siehst du« zu »sihestu«: »Wenn du betest / soltu nicht sein wie die Heuchler« – »Was sihestu aber den Splitter in deines Bruders auge / und wirst nicht gewar des Balcken in deinem auge.«

Luther orientierte sich übrigens am sogenannten Meißner Kanzleideutsch, der Amtssprache im sächsischen Kurfürstentum. Diese wiederum hatte mehr mit der höfischen Dichtung des späten Mittelalters zu tun als mit der gesprochenen Sprache der Sachsen. Daher ist die Behauptung, Luther habe Sächsisch zum Standard für ganz Deutschland gemacht, nur bedingt zutreffend. Dennoch findet man in Luthers Schriften das eine oder andere Wort, das eine gewisse regionale Prägung verrät. »Trauben« waren bei ihm zum Beispiel »Drauben«, so wie sie in Sachsen noch heute genannt werden.

Der Konjunktiv war bei Luther ebenso lebendig wie der Genitiv: »Was hülffs den Menschen / so er die gantze Welt gewünne / Und neme doch schaden an seiner Seele?« heißt es in Kapitel 16 des Matthäus-Evangeliums, und in Kapitel 12: »Wes das Hertz vol ist / des gehet der Mund über.« Der Gedanke, dass seine Landsleute mit Konjunktiv und Genitiv überfordert sein könnten, kam Luther nicht. Im Unterschied zu vielen Institutionen unserer Tage, die vom Gebrauch dieser Formen ernsthaft abraten. Aber Luther ging es auch nicht um Profit durch Verblödung, sondern um Prosit (= Wohlsein) durch Erhebung.

Wären Luther und seine Bibelübersetzung nicht gewesen, hätte sich der Genitiv kaum bis in unsere Tage gehalten. In der Renaissance hatte der Wesfall seine höchste Blüte erreicht und kam bei einer viel größeren Zahl von Verben zum Einsatz als heute. In der Neuzeit ging es dann stetig mit ihm bergab, an immer mehr Stellen wurde er abgelöst. So wurde »Ich gedachte eines auf dem Wege« zu »Auf dem Weg fiel mir ein« und »Ich besann mich eines anderen« zu »Ich hab es mir anders überlegt«.

Luther aber hat mit seiner Bibelübersetzung, seinen Schriften und seinen Liedern dem Genitiv ein bleibendes Denkmal gesetzt. »Ach Gott vom Himmel, sieh darein und lass dich des erbarmen«, dichtete er 1524. »Das ist mein Trost und treuer Hort, des will ich allzeit harren«, schrieb er ein andermal. Und schließlich: »Ich bin aber dessen gewiss, dass ich Gott wohlgefalle mit all meinem Tun, nicht um meinetwillen, sondern um Gottes willen, der sich mein erbarmt.«

Denken wir an Martin Luther, so brauchen wir dies nicht im Kniefall zu tun. Luther war ein bedeutender Mann der Kirche, aber gewiss kein Heiliger. Doch ohne ihn hätte es vielleicht nie ein einheitliches Hochdeutsch gegeben. Darum werde ich am Reformationstag 2017 in mein Kemmerlin gehen, die Thür schleusen und sein gedenken.

Weiteres zum Genitiv:

»Der Dativ ist dem Genitiv sein Tod« (»Dativ«-Band 1)
»Wir gedenken dem Genitiv« (»Dativ«-Band 2)
»Wem sein Brot ich ess, dem sein Lied ich sing« (»Dativ«-Band 3)
»Verwirrender Vonitiv« (»Dativ«-Band 3)
»Dem Kaiser seine neuen Kleider« (»Dativ«-Band 5)

Nach dem Letzten geht noch was!

Heute hieß es in einer Ankündigung im Internet: »Erfolgsautor Bastian Sick liest aus seinen letzten Veröffentlichungen«. Das stimmte mich nachdenklich. Ein paar Leser werden womöglich glauben, ich habe das Schreiben eingestellt. Ein paar Kritiker werden es womöglich hoffen. Doch wie heißt es so schön? Wer zuletzt lacht, den beißen die Hunde.

Wenn vom »Letzten« die Rede ist, klingt schnell etwas von Abschied und Ende mit: das Letzte Abendmahl, die letzten Worte, der letzte Wunsch, der Letzte Wille.
Gemeint waren in der Meldung aber nur die *jüngsten* Veröffentlichungen. Von meinen letzten bin ich hoffentlich noch um einiges entfernt. Zwar kann »das Letzte« auch die Bedeutung »das Neueste« haben, doch sollte man sich vor dem Gebrauch vergewissern, dass es nicht missgedeutet werden kann. Manche nehmen es mit der Unterscheidung nämlich sehr genau und verstehen unter dem »Letzten« ausschließlich den Abschluss.

Eine ältere Leserin erinnerte sich an ein Erlebnis aus ihrer Studienzeit vor rund 50 Jahren. Damals sprach einer ihrer Kommilitonen den Professor auf etwas an, das dieser in seiner »letzten« Vorlesung gesagt habe. Darauf entrüstete sich der Professor und stellte klar, dass seine jüngste Vorlesung noch längst nicht seine letzte gewesen sei.

Ein ähnlicher Fall ist mir aus meiner Schulzeit in Erinnerung geblieben. Gerade hatte uns unser Geschichtslehrer gebeten: »Schreibt auf, was wir in der letzten Stunde durchgenommen haben!«, da erhob sich der Frechste von uns von seinem Platz und machte Anstalten, zur Tür hinauszugehen. »Was ist los? Wo willst du hin?«, fragte der Lehrer. Darauf der Schüler: »Wenn die vergangene Stunde die letzte war, kann das nur bedeuten, dass die Schulzeit vorbei ist. Also können wir gehen!« Es gab lautes Gelächter einerseits und einen Eintrag ins Klassenbuch andererseits, denn das letzte Wort haben bekanntlich immer die Lehrer.

Bei den alten Germanen hieß das »Letzte« noch »last« und bedeutete »das Matteste«. Das »laste« Licht des Tages war das matteste, das schwächste Licht. Und da die Worte eines Sterbenden oft seine schwächsten, seine mattesten sind, nannte man sie seine »lasten«, das heißt letzten Worte. In frühmittelalterlichen Zeiten wohnte dem »Letzten« also etwas Schwaches, Sterbendes inne. Diese enge Bedeutung wurde im Laufe der Jahrhunderte deutlich erweitert. So ist Beethovens 9. Sinfonie zwar seine letzte (vollendete), gilt aber keinesfalls als seine schwächste oder matteste – ganz im Gegenteil.

Letztlich ist das Letzte ein weit gefasster Begriff, der zur Bildung zahlreicher Redewendungen beigetragen hat. Zum Beispiel »der Weisheit letzter Schluss«, »du raubst mir den letzten Nerv«, »er pfeift aus dem letzten Loch« und »er gibt dafür sein letztes Hemd«. Nicht zu vergessen die biblische Prophezeiung »die Letzten werden die Ersten sein«, gefolgt von der schmerzhaften Jäger-Erkenntnis »den Letzten beißen die Hunde«. Und wenn man etwas gerade noch rechtzeitig geschafft hat, dann heißt es »auf den letzten Drücker«.* Nach der Letzten Ölung, dem letzten Atemzug, dem letzten Geleit und dem Letzten Gericht ist tatsächlich Schluss.

* Dies bezieht sich auf den Türgriff an alten Eisenbahnwaggons. War der Zug bereits losgefahren, musste man sich sehr beeilen, um den letzten Türdrücker des letzten Waggons zu fassen zu bekommen.

Wer diese Stationen absolviert hat, wird nicht wieder von sich hören lassen. Doch dass das Letzte nicht unbedingt einen Schlusspunkt darstellen muss, sondern genauso für das vergangene Mal, das vor Kurzem Erlebte stehen kann, beweisen die Wortbildungen »letztens« und »letzthin«, zwei Synonyme für »kürzlich« und »neulich«.

Berichterstattung sollte stets um Klarheit bemüht und unmissverständlich sein. Wenn in einer Zeitung von der »letzten Aufführung der *Zauberflöte*« die Rede ist, sollte sicher sein, dass es sich um die Abschlussvorstellung handelte. War es hingegen nur die jüngste Aufführung innerhalb einer noch Monate dauernden Spielzeit, dann sollte sie auch so genannt werden. In der Sprache Luthers war das »Jüngste« zwar noch gleichbedeutend mit dem »Letzten«, wie man am »Jüngsten Tag« und am »Jüngsten Gericht« erkennen kann. Heute aber versteht man unter den »jüngsten Ereignissen« nicht das Ende der Welt, sondern das, was sich gerade zugetragen hat.

In der »Tagesschau«-Redaktion wird stets darauf geachtet, dass die Sprecher »in der vergangenen Woche« sagen und nicht etwa »in der letzten Woche«. Hier wird es mit der Genauigkeit vielleicht etwas zu genau genommen, denn im Unterschied zur »letzten Aufführung« besteht bei der »letzten Woche« keine Verwechslungsgefahr.

Die Werbung verwendet gern Superlative, zu denen auch »das Letzte« zählt. So weiß ein Reisebüro angeblich, wo »das letzte Paradies« zu finden sei, ein Tortenhersteller preist seine aus Sahne gewonnene »letzte Versuchung« an, und jeder Autofahrer schaut noch einmal auf die Tankanzeige, wenn er liest: »Letzte Tankstelle vor der Grenze«. Doch auch hier kann es zu Missverständnissen kommen.

Eine Therme in Bayern bewirbt ihre Tauchkurse mit den Worten : »Tauchen – eines der letzten Abenteuer für Jung und Alt«. Da fragt man sich, ob diese Werbung nicht eher eine Warnung ist.

Nicht zuletzt hat das Letzte außer dem definitiven Schlusspunkt und dem Vorangegangenen noch eine dritte Bedeutung, die das ursprüngliche »Schwächste« und »Matteste« aufgreift. Diese erklärt sich am besten mit einem Witz:

Sagt ein Leser zum Autor: »Ich habe Ihr Buch gelesen.« Fragt der Autor: »Das letzte?« Erwidert der Leser: »Fand ich auch!«

Immer schön politisch korrekt bleiben!

Im Zeichen der politischen Korrektheit wurde der Negerkuss in Schokokuss umbenannt, und aus dem Sarotti-Mohren wurde der Sarotti-Magier. Die Eskimo wollen nicht mehr Eskimo genannt werden und die Schnitzel nicht mehr Zigeuner. »Pippi Langstrumpf« konnte man mit ein paar Korrekturen gerade noch retten, bei »Winnetou« werden ein paar Korrekturen nicht reichen. Politische Korrektheit ist ein ernstes Thema. Gerade deshalb sollte man es nicht zu verkrampft sehen.

Heute ist jedermann bemüht, politisch korrekt zu sein. Und was sage ich da: »jedermann« – jede Frau natürlich auch. Damit fängt es schon an. Denn dieses Land besteht schließlich nicht nur aus Bürgern, Wählern und Steuerzahlern, sondern genauso aus Bürgerinnen, Wählerinnen und Steuerzahlerinnen. Und – wie wir dank Alice Schwarzer wissen – auch aus Steuerhinterzieherinnen.
Der Weg zur politischen Korrektheit ist steinig und unbequem. Überall stehen Fettnäpfchen bereit, die nur darauf warten, dass jemand in sie hineintritt. Manches muss man mühsam erlernen.
Für meine erste Hausarbeit im Studium der Neueren Geschichte zum Thema »Deutsche Kolonialpolitik in Südwestafrika von 1894 bis 1907« erhielt ich außer einer Note auch den gut gemeinten Rat meines Dozenten, von der Verwendung des Begriffs »Eingeborene« doch künftig besser abzusehen. Das war mir sehr unangenehm, und ich lernte, dass man auch harmlos erscheinende Wörter auf einen möglichen kolonialistischen Beigeschmack prüfen muss.

Mit Rücksicht auf die politische Korrektheit hat selbst Astrid Lindgrens berühmtestes Werk »Pippi Langstrumpf«

einige Korrekturen hinnehmen müssen. Seit den 80er-Jahren gingen beim Oetinger-Verlag immer wieder Briefe besorgter Eltern ein, die Textänderungen in Lindgrens Klassiker »Pippi Langstrumpf« forderten. Stein des Anstoßes war das Wort »Negerkönig«: »Meine Mama ist ein Engel«, sagt Pippi gleich im ersten Kapitel, »und mein Papa ist ein Negerkönig. Es gibt wahrhaftig nicht viele Kinder, die so feine Eltern haben!«

Schwer vorzustellen, dass ausgerechnet Astrid Lindgren kolonialrassistisches Gedankengut verbreitet haben soll, wie Kritiker ihr vorwarfen. Einige Eiferer forderten gar, Astrid Lindgrens Werke gänzlich aus deutschen Büchereien zu verbannen. Die Autorin selbst fand die Aufregung übertrieben und sah keinen Grund, an ihrer »Pippi« auch nur ein Komma zu ändern. Erst sieben Jahre nach ihrem Tod traute sich der Verlag einen kosmetischen Eingriff: Seit 2009 sind die Bewohner von Taka-Tuka-Land keine »Neger« mehr, sondern »Eingeborene«, und Pippis Vater ist nicht länger »Negerkönig«, sondern ein »Südseekönig«. Das verschafft unserem kollektiven Gewissen wieder etwas Ruhe – jedenfalls so lange, bis die Bewohner der Südseestaaten gegen die Bezeichnung »Eingeborene« Protest einlegen und besorgte Eltern sich wieder hinsetzen und Briefe schreiben.

Das nächste Wort, das – zum Erstaunen vieler – auf dem Index der politisch inkorrekten Wörter landete, war »Eskimo«. Die größte Gruppe der Eskimo, die in Kanada und Grönland lebenden Inuit, forderte, das Wort »Eskimo« durch »Inuit« zu ersetzen, weil »Eskimo« nach einem älteren Verständnis »Rohfleischesser« bedeutete. Inzwischen gilt in der Wissenschaft aber als gesichert, dass »Eskimo« auf ein indianisches Wort zurückgeht, das »Schneeschuhflechter« bedeutet. Die Aufregung der Inuit war also unbegründet. Außerdem sind längst nicht alle Eskimo Inuit – die in Russland und Alaska lebenden Völker nennen sich Yupik und Iñupiat.
Wollte man anfangen, alle Völkernamen auf ihre ursprüngliche Bedeutung hin zu überprüfen und gegebenenfalls zu ersetzen, müsste man praktisch alle nordamerikanischen Indianervölker umbenennen. Denn tatsächlich tragen die meisten Indianerstämme einen Namen, den sie von ihren Nachbarn bekommen haben. Immer wenn die Europäer bei der Eroberung des Wilden Westens auf einen neuen Indianerstamm stießen, fragten sie erst einmal die, die sie bereits kannten, wie die anderen denn wohl hießen. Da Nachbarn bekanntlich nicht immer die höchste Meinung voneinander haben, sind viele der Namen, die die Europäer auf diese Weise lernten, nicht besonders schmeichelhaft.

Die Apachen haben ihren Namen vom Pueblovolk der Zuñi. Bei den Zuñi hat das Wort *apachù* die Bedeutung »Feind«. Die Apachen selbst nennen sich Inde, was in ihrer Sprache »Volk« oder »Menschen« bedeutet.
Die Komantschen haben ihren Namen von den Utah-Indianern. Bei den Utah heißt *komántcia* »Feind«. Die Komantschen selbst nennen sich Nemene, was »Volk« oder »Menschen« bedeutet.
Der Name der Schoschonen bedeutet »die zu Fuß gehen«. So wurden sie von ihren Nachbarn genannt, die bereits Pferde hatten. Die Schoschonen selbst nennen sich Nime, was »Volk« oder »Menschen« bedeutet.
Die Irokesen haben ihren Namen von ihren Nachbarn, den Algonkin. Er leitet sich von einem Wort ab, das »Klapperschlangen« bedeutet. Die Irokesen selbst nennen sich Haudenosaunee, was »Bewohner des Langhauses« bedeutet.
Nicht einmal der berühmte Name Sioux bedeutet etwas Heldenhaftes. Tatsächlich handelt es sich um eine abwertende Bezeichnung für die Indianerstämme der Dakota und Lakota und bedeutet so viel wie »kleine Schlangen«. Die Dakota wiederum haben ihren Nachbarn den Namen »Cheyenne« gegeben, was »kleine Anderssprechende« bedeutet. Fast noch am besten kommen die Navajo-Indianer weg, die ihren Namen einer Pueblosprache verdanken, wo er für »Ackerbauern« steht. Die Navajo selbst nennen sich übrigens Diné, was – nun raten Sie mal? Genau – »Volk« oder »Menschen« bedeutet.
»Pippi Langstrumpf« konnte man mit ein paar Korrekturen noch retten. Karl May wird man komplett einstampfen müssen.

Auch die Märchen der Brüder Grimm hielten einer politischen Kontrolle nicht lange stand. Nehmen wir nur mal »Schneewittchen und die sieben Zwerge«. Dass man Menschen von kleinem Wuchs als »Zwerge« bezeichnet, ist politisch völlig unkorrekt. In ein paar Jahren druckt deshalb vermutlich irgendein Verlag eine Neufassung unter dem politisch korrekten Titel: »Schneewittchen und die sieben Kleinwüchsigen«. Wer dagegenhält, Schneewittchens Freunde seien doch keine kleinwüchsigen Menschen, sondern putzige Fabelwesen, der verkennt die Entstehung dieser Märchenfiguren: Schneewittchens Zwerge gehen in der Tat auf Menschen zurück. In früheren Jahrhunderten wurden im Bergbau häufig kleinwüchsige Erwachsene und auch Kinder eingesetzt, da die Stollen niedrig und eng waren. Zu ihrem Schutz trugen sie Mützen aus Filz, die zum Teil mit Wolle oder Spänen ausgestopft waren. Das Bild der kleinwüchsigen Bergarbeiter mit den Filzmützen fand Eingang in zahlreiche Erzählungen und Märchen.

Im vergangenen Jahr sorgte die Nachricht für Aufsehen, dass das Forum für Sinti und Roma verschiedene Lebensmittelhersteller aufgefordert habe, ihre jeweilige »Zigeunersoße« umzubenennen, weil der Begriff diskriminierend sei. Da war die Verlegenheit natürlich groß. Dass das Wort »Zigeuner« als herabwürdigend und diskriminierend gilt, ist vielen gar nicht bewusst – am wenigsten im Zusammenhang mit Soße und Schnitzel. Noch in den 70er-Jahren war das Wort »Zigeuner« aus der deutschsprachigen Unterhaltungsmusik gar nicht wegzudenken. Man denke nur an Alexandras Lied »Zigeunerjunge« (1967) oder an Cindy & Bert und ihren Schlager »Aber am Abend, da spielt der Zigeuner« (1974). Oder an Julio Iglesias (1978): »Er war ja nur ein Zigeuner / Und alle wussten: So einer / Den bringt der Wind, und der nimmt ihn auch mit / Und in sein Herz sieht keiner«. Das können Sie heute nicht mehr spielen, geschweige denn singen, das ist nicht länger politisch korrekt.

Die Gastwirte der Stadt Hannover reagierten prompt und strichen das beliebte »Zigeunerschnitzel« von der Karte. In ganz Hannover gibt es keine Zigeunerschnitzel mehr. Ich habe keine Ahnung, was als Ersatz angeboten wird. Es wird aber wohl kaum ein »Sinti-und-Roma-Schnitzel« sein.

Weiteres zum Thema »politisch korrekt«:

»Liebe Gläubiginnen und Gläubige« (»Dativ«-Band 1)
»Wir sind die Bevölkerung!« (»Dativ«-Band 3)
»Die Entmannung unserer Sprache« (»Dativ«-Band 5)

Blau-Weiß oder Blau-Weiss?

Einige Fragen kehren immer wieder, auch wenn es die Antworten darauf längst gibt. Wer war zuerst da: die Henne oder das Ei? Wie kommen die Löcher in den Käse? Wer hat die Currywurst erfunden? Und: Wann schreibt man ein Wort mit Eszett und wann mit Doppel-s?

Vor ein paar Tagen rief mich ein Freund an, der für eine Werbeagentur arbeitet. Er verlor keine Zeit mit Höflichkeiten, sondern kam gleich zur Sache: »Ich hätte da mal eine fachliche Frage.« – »Aha«, erwiderte ich. »Wir haben einen Kunden, der Milchprodukte herstellt«, erklärte mein Freund. »Seine Firmenfarben sind Blau und Weiß. Der Slogan, mit dem wir für ihn werben wollen, lautet – halt dich fest: ›Blau-Weiß genießen‹. Hab übrigens ich mir ausgedacht. Aber das nur nebenbei. Ist ein Wortspiel, weil der Kunde aus Bayern kommt, und die Landesfarben von Bayern sind ja bekanntlich Blau und Weiß.« – »Genau genommen Weiß und Blau, also gerade andersherum«, warf ich ein, doch das schien meinen Freund nicht weiter zu beeindrucken: »Blau-Weiß oder Weiß-Blau, das ist doch egal. Die Frage, die uns hier in der Agentur beschäftigt, lautet: Wie schreibt man Blau-Weiß? Hinten, wohlgemerkt. Mit Eszett oder kann man es auch mit Doppel-s schreiben? Wenn man es googelt, findet man sowohl ›Blau-Weiß‹ als auch ›Blau-Weiss‹ – wobei es sich übrigens meistens um Sportvereine handelt. Also, hier meine Frage: Was ist richtig? Mit Eszett oder mit Doppel-s? Oder geht beides?« – »Klare Frage, klare Antwort«, erwiderte ich, »›Blau-Weiß‹ wird mit Eszett geschrieben.« Mein Freund hakte nach: »Und das andere geht nicht? ›Blau-Weiss‹ mit Doppel-s? Das fände unser Grafiker nämlich schicker.« – »Also«, hob ich an, »Regel Nummer eins lautet: Lass dir niemals von einem Grafiker sagen, wie eine Sache geschrieben werden soll. Grafikern haben wir zerstückelte Wörter wie ›Hafer Flocken‹ und ›Land Milch‹ zu verdanken, weil sie einen Bindestrich als hässlich empfinden. Regel Nummer zwei: ›Weiß‹ wird grundsätzlich mit Eszett geschrieben, weil das ›ei‹ in ›Weiß‹ ein langer Klang ist.« – »Das Ei in Weiß? Du meinst: das Eiweiß?«, flachste meine Freund. Ungerührt fuhr ich fort: »Das ›ei‹ ist ein Doppelvokal, ein sogenannter Diphthong, und Doppelvokale sind immer lang. Ihnen folgt nie ein Doppel-s. Das gilt auch für ›au‹, ›äu‹ und ›eu‹ in Wörtern wie ›draußen‹, ›äußerlich‹ und ›scheußlich‹. Die Faustregel lautet: kurze Klänge – Doppel-s, lange Klänge – scharfes s.« – »Verstehe«, murmelte mein Freund. »Aber wieso gibt es im Internet dann so viele Fundstellen von ›Blau-Weiss‹ mit Doppel-s?« – »Entweder handelt es sich um Einträge von Menschen, die die Regel nicht kennen, oder es sind Einträge von Schweizern. Die Schweizer haben nämlich kein Eszett. Das wurde dort bereits seit den 30er-Jahren nicht mehr gelehrt, aus praktischen Gründen, aber auch um sich vom Schriftbild des nationalsozialistischen Deutschlands zu unterscheiden.« Mein Freund stutzte: »Wie jetzt, ist das Eszett etwa eine Erfindung der Nazis?« – »Keineswegs! Das Eszett gibt es schon seit dem 13. Jahrhundert.« – »Sicher? Wir dürfen unseren Kunden auf keinen Fall durch missverständliche Zeichen in eine kompromittierende Lage bringen!« – »Das Eszett ist kein missverständliches Zeichen«, widersprach ich. »Das doppelte S schon eher. Aber lassen wir die historischen Bezüge aus dem Spiel, die führen hier nur in die Irre. Das Wort ›weiß‹ wird mit Eszett geschrieben – sowohl die Farbe als auch ›ich weiß‹ von ›wissen‹. Der ›Hinweis‹ hingegen nicht, denn der kommt nicht von ›wissen‹, sondern von ›weisen‹. Die Eszett-Regel gilt allerdings nur, solange man mit regulärer Groß- und Kleinschreibung arbeitet. Wenn ihr euren

Werbespruch in Versalien schreiben wollt, also in durchgehenden Großbuchstaben, dann geht es nur mit Doppel-s, weil das Eszett nicht als Großbuchstabe existiert*. Normales Blau-Weiß mit Eszett, aber durchgehend großgeschriebenes BLAU-WEISS mit Doppel-s.« Mein Freund tippte kurz auf seiner Computertastatur, dann rief er: »Stimmt. BLAU-WEIß sieht blöd aus. Um nicht zu sagen: SCHEIßE!« Er bedankte sich und versprach, dem Grafiker meine Grüße auszurichten.

Gestern schickte mir mein Freund die Entwürfe seiner Kampagne. Neugierig öffnete ich den Mail-Anhang. Ich erblickte ein junges Pärchen in freier Natur, sie mit selig geschlossenen Augen auf dem Rücken liegend, während er sie mit einem Löffel Joghurt füttert. Rechts im Bild das Logo der Molkerei und die markigen Worte: »Blau-Weiß Geniessen«. Seufzend griff ich zum Hörer und rief meinen Freund an: »Genießen kommt zwar von Genuss, wird aber dennoch mit Eszett geschrieben, denn das ›ie‹ ist ebenfalls ein langer Klang. Nicht umsonst besteht es aus zwei Buchstaben. Außerdem wird ›genießen‹ kleingeschrieben, denn es ist nicht substantiviert.« – »Substi– was?«, echote mein Freund. Dann brummte er: »Na gut, das ändern wir. Auch wenn unser Chefgrafiker meckern wird, denn bei ihm müssen alle Wörter gleichmäßig geschrieben sein, entweder jedes Wort groß oder alles klein. So ein Durcheinander mag der nicht.« – »Sag ihm, es komme darauf an, wie man Durcheinander definiert. Viele Empfänger der Werbebotschaft dürften es eher als ein Durcheinander empfinden, wenn altbekannte Regeln einfach über den Haufen gewor-

* Zwar hat das Deutsche Institut für Normung (DIN) im Jahr 2008 eine Großversion des Eszetts für international standardisierte Zeichensätze eingeführt (ẞ), doch hat dieses (noch) keinen Eingang in die amtliche Rechtschreibung gefunden.

fen werden. Und sagtest du nicht, ihr dürft euren Kunden auf keinen Fall in eine kompromittierende Lage bringen? Mit unsachgemäßer Rechtschreibung würdet ihr ihn sicher nicht gut dastehen lassen.« – »Da ist was dran. Der Rest ist aber klasse, oder?« – »Das Foto? Ganz wunderbar! Da möchte man sofort mitlöffeln. Lass mich raten: Das Motiv hast du ausgesucht, stimmt's?« – »Stimmt«, erwiderte mein Freund und lachte. »Das Model kenne ich sogar persönlich, aber das nur nebenbei.«

Heute erhielt ich den überarbeiteten Entwurf. »Unser Grafiker lässt dich zurückgrüßen«, schrieb mein Freund dazu. »Und in der ›genießen‹-Frage hat er einen Weg gefunden, dich auszutricksen. Wenn er deswegen eine Gehaltserhöhung verlangt, ist es deine Schuld!« Ich öffnete die Datei und las: »Blau. Weiß. Genießen.«
Na. Dachte. Ich. Wenn das keine Gehaltserhöhung wert ist!

Weiteres zum Eszett:

»In Massen geniessen« (»Dativ«-Band 1)
»Die reformierte Reform« (»Dativ«-Band 3)

Von riesen Erfolgen und klassen Kämpfen

Einen »riesen Spaß« und ein »wahnsinns Feeling« bescheinigt eine Bewertung im Internet einem Tanzclub auf Bora Bora. Und auf Facebook schreibt eine Schauspielerin über ihren ersten Auftritt in einem Musical, es sei »ein riesen Vergnügen und eine ganz neue Erfahrung« gewesen. Das ist auf jeden Fall eine ganz neue Form der Rechtschreibung.

Es lebte einst im Riesengebirge ein gewaltiger Riese. Mit seinen Riesenhänden konnte er jeden noch so großen Stein werfen und mit seinen Riesenfüßen alles zerquetschen, was sich ihm in den Weg stellte. Eines Tages hörte er, wie eine Maus entsetzt schrie: »He, pass doch auf! Fast hättest du mich mit deinen riesen Füßen zertreten!« Der Riese sprach: »Das tut mir riesig leid!« – »Das will ich auch hoffen!«, schnaubte die Maus. »Es wäre nämlich ein riesen Fehler gewesen! Du hättest riesen Ärger mit meiner Sippe bekommen!« – »Vor riesen Ärger habe ich keine Angst«, erwiderte der Riese gelassen. »Wirklich nicht? Wovor dann?«, fragte die Maus. Der Riese überlegte kurz und sagte: »Vor Riesenärger!«

Sie haben zweifellos längst bemerkt, worum es in dieser Geschichte von dem Riesen und der Maus tatsächlich geht: um getrennt oder zusammen, um mäuseklein oder riesengroß. Immer wieder findet man Angebote, die einen »riesen Spaß« verheißen oder einen »riesen Preisnachlass«. Es gibt jedoch kein Adjektiv, das »riesen« heißt. Das vom Riesen abgeleitete Adjektiv heißt »riesig« oder »riesenhaft«. Alles, was mit einem »Riesen« beginnt, wird groß- und zusammengeschrieben, sei es der Riesenhunger, die Riesengemeinheit oder das Riesenglück.

Dass »Riesen« so oft für ein Adjektiv gehalten wird, liegt vermutlich daran, dass auf dem folgenden Wort nicht selten eine eigene Betonung liegt. »Ich wünsch dir einen riesen Erfolg!« trägt sowohl eine Betonung auf »rie« als auch auf »folg«. So wie bei »Ich wünsch dir einen großen Erfolg« oder »Ich wünsch dir einen tollen Erfolg«.
Trotzdem taugt die Vorsilbe »Riesen-« nicht zum Adjektiv. Es wäre ja auch geradezu paradox, etwas so Großes wie »Riesen« kleinschreiben zu wollen. Nur wenn sie sich mit »groß« zu einem tatsächlichen Adjektiv verbindet, schrumpft die Vorsilbe auf Kleinformat, denn »riesengroß« wird trotz Riesen-Beteiligung nicht großgeschrieben.
Mit dem Riesen ist es übrigens genauso wie mit dem Heiden: Heidenspektakel, Heidenärger, Heidenarbeit und Heidenangst lassen sich nicht als »heiden Spektakel«, »heiden Ärger«, »heiden Arbeit« und »heiden Angst« verkaufen.

Doch bei anderen verstärkenden Ausdrücken ist das starre Gefüge der Grammatik in Bewegung geraten: Die Vorsilbe »super« war lange Zeit ein fest verbundener Bestandteil in Wörtern wie »Superheld«, »Superbenzin« oder »Superweib«. Inzwischen aber erkennt der Duden beim Wort »super« auch ein Alleinstellungsmerkmal an. Es gibt ein »super Spiel«, eine »super Idee« oder einen »super Vorschlag«, und ein Treibstoff kann »super Benzin« sein, ohne deswegen gleich Superbenzin sein zu müssen. Wenn »super« die Bedeutung »großartig« hat, funktioniert es – zumindest in der Umgangssprache – auch als Attribut. Ist es dagegen im Sinne von »über« zu verstehen, muss es mit dem Folgewort zusammengeschrieben werden; denn ein Supermarkt ist nicht zwangsläufig ein »super Markt«, und ein Supertanker nicht unbedingt ein »super Tanker«.
Auch »klasse« ist in die Klasse der Attribute aufgestiegen: Ein »klasse Lehrer« ist etwas anderes als ein Klassenlehrer,

und wenn jemand über eine »klasse Gesellschaft« schreibt, schwebt ihm dabei nicht unbedingt eine Klassengesellschaft vor. Aus Respekt vor der Grammatik wird das Wort »klasse« manchmal sogar gebeugt; so schreibt ein Redakteur über einen Boxkampf: »Die beiden haben sich einen klassen Kampf geliefert«. Das könnte jedoch auch als Klassenkampf missverstanden werden. Das Wort »klasse« braucht, wenn es die Bedeutung »hervorragend« hat, nicht gebeugt zu werden. Eine Superidee ist ja auch keine »supere Idee«, und Superhelden sind keine »supernen Helden«.
»Klasse« und »super« gehören damit in die Superklasse der Unbeugsamen. Denn nicht nur Gallier können unbeugsam sein, sondern auch einige Eigenschaftswörter, meist solche, die einerseits Fremdwörter und andererseits Vorsilben sind, so wie »extra«, »ultra«, »mega« und »hyper«.

Auch »okay« ist ein Fremdwort und wird gelegentlich als vorangestelltes Qualitätsmerkmal verwendet. Mancher hält eine akzeptable Lage für eine »okaye Lage« und beschreibt einen zufriedenstellenden Handel als einen »okayen Handel«, wenn nicht gar als einen »okayenen«. Der Duden hält »okaye Lösungen« zwar noch nicht für okay, aber das kann in ein paar Jahren schon anders aussehen.
Genau wie »super« sind auch »ultra«, »hyper« und »mega« eigentlich Vorsilben und kommen daher nur in Zusammenschreibung vor: ultraleicht, hyperaktiv, mega-out. Doch auch hier macht sich die Vorsilbe zunehmend selbstständig, und Menschen schreiben einander, sie haben »mega viel Arbeit« oder beim Chinesen »ultra lecker gegessen«. Ob hyperdämlich oder hyper dämlich, Megaspaß oder mega Spaß – hier bewegen wir uns orthografisch in einer Grauzone. Die Verwendung von Kraftausdrücken ist seit je ein Merkmal der Umgangssprache, und die ist bekanntlich sehr flexibel und schafft sich im Zweifelsfall ihre eigenen Regeln.

Doch der Riese aus dem Riesengebirge bewegt sich mit seinen Riesenfüßen nicht in einer Grauzone, sondern auf sprachlich festgetretenem Grund: »Solange ich hier lebe, bleibt das Riesengebirge ein riesiges Gebirge und kein riesen Gebirge«, sprach er. Allein die Maus wollte das nicht anerkennen und bemühte sich, das Riesige kleinzureden, wo sie nur konnte. »Ich habe heute einen echt schrägen Kerl getroffen«, berichtete sie später ihrer Sippe. »Der hatte riesen Füße und riesen Hände, aber einen erbsen Verstand.«

Weiteres zum Thema Getrennt- oder Zusammenschreibung:

»Dem Wahn Sinn eine Lücke« (»Dativ«-Band 2)
»Von der deutschlandweiten Not, amerikafreundlich zu sein« (»Dativ«-Band 2)
»Tüten Suppe aus der Suppen Tüte« (»Dativ«-Band 5)
»Weiter kommen oder weiterkommen?« (in diesem Buch auf S. 54)

Schreibschrift ade?

Nun geht es also auch der Schreibschrift an den Kragen. Die Finnen machen den Anfang. Ab Herbst 2016 soll an finnischen Schulen das Erlernen der Schreibschrift nicht mehr verpflichtend, sondern nur noch freiwillig sein. Stattdessen sollen die Schüler lernen, Wörter und Texte auf Computertastaturen zu tippen.

Nr. 1
Bitte die Wurst da
rund und fein
ist für den Kasper
ganz allein.
Fehler: 0 Schrift 1
3. 2. 72 1 Gi.

Mitgeschrieben haben ...30... Kinder
Davon haben ...27... eine 1
...3... eine 2
...–... eine 3
...–... eine 4
...–... eine 5
...–... eine 6
Unterschrift der Eltern ...A. Sitz...

Ausgerechnet die Finnen, die bei den Pisa-Studien immer so gut abgeschnitten haben und daher in ganz Europa zum leuchtenden Vorbild in Sachen Bildungspolitik geworden sind, haben der Schreibschrift den Kampf angesagt. Obelix würde sagen: Die spinnen, die Finnen!

Allerdings spinnen sie nicht allein. Denn Versuche, die Schreibschrift aus dem Schulunterricht zu verbannen, gibt es auch in anderen Ländern, allen voran in den USA. In 45 Bundesstaaten wurde 2014 das Unterrichten der Schreibschrift zugunsten des Schreibens auf der Tastatur eingestellt. Auch in Deutschland hat die Vision einer schreibschriftlosen Welt unter Pädagogen und Bildungspolitikern bereits zahlreiche Anhänger gefunden. Der Gesetzgeber lässt ihnen dabei freie Hand. Seit 2004 schreiben die Richtlinien für die vierte Klasse lediglich vor, dass die Schüler »eine gut lesbare Handschrift flüssig schreiben« können sollen. In welcher Schrift das zu tun sei, bleibt den Lehrern selbst überlassen.

Ich denke an meine Schulzeit zurück, an die Stunden, als wir unter der Anleitung unserer Lehrerin das Schreiben lernten. Stunde um Stunde malten wir Kringel und Schleifen, anfangs noch mit Kreide auf eine Schiefertafel, bis wir endlich unsere Füller benutzen durften. Das war aufregend! Das erste Schreibheft hatte vier Linien pro Zeile und sah damit fast aus wie Notenpapier. In der zweiten Klasse waren es nur noch zwei Linien, und in der vierten schrieb man schließlich nur noch auf einer Linie. Da wusste man, dass man fortan »zu den Großen« gehörte. Es gab damals niemanden, der das Erlernen der Schreibschrift in Frage gestellt hätte. Einige Schüler taten sich schwerer damit als andere, aber jeder wollte es lernen. Schließlich war man unerhört stolz auf die ersten selbstgeschriebenen Wörter und Sätze.

Die finnische Lehrplanbeauftragte Irmeli Halinen argumentierte, das Erlernen der Schreibschrift sei zu mühsam und koste zu viel Zeit. Dem ließe sich entgegenhalten: Das Erlernen der Bruchrechnung ist auch mühsam. Wollte man alles abschaffen, was mühsam ist und Zeit kostet – müsste man dann nicht die gesamte Schule abschaffen?

In Hamburg, Hessen und Nordrhein-Westfalen wurde vor einiger Zeit die sogenannte Grundschrift eingeführt, die die gebundene Schreibschrift ablösen soll. Grundschrift besteht aus Druckbuchstaben und soll angeblich leichter zu erlernen sein. Sie hat jedoch einen entscheidenden Nachteil: Sie kostet mehr Zeit. Denn wenn man für jeden Buchstaben neu ansetzen muss, wird man nie die Schreibgeschwindigkeit erreichen, die man mit einer gebundenen Schreibschrift erreichen kann. Die Erfindung der Schreibschrift mit ihren Bogen und Bindungen geschah schließlich nicht umsonst – es ging darum, das Schreiben flüssiger, schneller und somit effizienter zu machen. »Wenn Schüler zu langsam schreiben, vergessen sie ihre Ideen unterwegs«, resümierte eine Psychologin der Universität Montreal. Eine von ihr geleitete Studie war 2012 zu dem Ergebnis gekommen, dass Schüler, die eine gebundene Schreibschrift beherrschen, über eine höher entwickelte Feinmotorik verfügen, sich Texte besser merken können und ihren Sinn schneller erfassen. Eine Pädagogin aus Hamm, die mehr als 1000 Schriftproben von Schülern untersucht hatte, ist zu ähnlichen Erkenntnissen gelangt. Schreibschrift sei allein deshalb schon wichtig, sagte sie in einem Interview mit dem »Kölner Stadt-Anzeiger«, weil ein Kind die Buchstaben im wahrsten Sinne des Wortes »be-greifen« müsse. Es müsse sie formen, um sie zu verstehen. Wenn es eine Tastatur bediene, zeige es nur auf eine Form, forme aber nicht mehr selbst. Dadurch könnten die Zusammenhänge nicht in das Bewegungsgedächtnis eingehen.

Hinter dem Prinzip »Schreibschrift« steckt also sehr viel mehr als nur ein paar Schleifen und Kringel. Als ich kürzlich mit meinem ehemaligen Deutschlehrer über dieses Thema sprach, vermutete er, die Gegner der Schreibschrift würden etwas abschaffen wollen, dessen Wert und Bedeutung ihnen in all seiner Vielfalt gar nicht bewusst sei.
Dennoch wird weiterhin für die Grundschrift getrommelt. Der Grundschulverband (GV) hat einen regelrechten Wer-

befeldzug angestrengt und schickt Berater mit Musterkoffern in die Schulen. Wie Pharmavertreter, die Ärzten ein neues Präparat aufzuschwatzen versuchen, preisen die Vertreter des GV die Grundschrift an. Ihr schlagkräftigstes Argument: Damit würde alles viel einfacher! Doch ist das richtig? Wird es für die Schüler wirklich einfacher, wenn man ihnen die Möglichkeit nimmt, durch Verbinden von Buchstaben auf dem Papier das Verbinden von Gedanken im Kopf zu trainieren?

Schreibschrift muss nicht immer Schönschrift sein. Sie kann Ecken und Kanten haben, genau wie ihre Urheber. In jedem Fall hat sie Charakter. In den vergangenen Wochen habe ich einige Zeit darauf verwendet, meine private Post der letzten zehn Jahre zu ordnen. Da hatte sich so einiges angesammelt. Hunderte Karten und Briefe habe ich nach Personen und Datum sortiert und zu handlichen Bündeln geschnürt. Bei den meisten brauchte ich gar nicht erst auf den Absender zu schauen, denn schon die Schrift verriet mir, von wem der Brief stammte. Jede Handschrift hat schließlich etwas Unverwechselbares. Sie ist Teil unserer Persönlichkeit. Sie verändert sich im Laufe eines Lebens, so wie wir selbst uns auch verändern, und bleibt doch immer wiedererkennbar, so wie unsere Stimme, unser Lachen, unser Gang.

Die Magie der ersten geschwungenen Linien, die ersten gemalten Wörter, die ersten flüssig geschriebenen Sätze, die erste eigene Geschichte, bei der die Fantasie nur so über das Papier dahinflog und den Füller hinter sich herzog, der erste handgeschriebene Liebesbrief – vielleicht war es mühsam, aber es war die Mühe wert. Mit dem Erlernen der Schreibschrift begann für mich eines der größten Abenteuer meines Lebens. Ich möchte keine Schlaufe und keinen Kringel davon missen.

Hat die Niederlande den dritten Platz verdient?

Alle paar Jahre dreht sich im Juni und Juli alles nur um ein Thema: Fußball! Man diskutiert über Mannschaften und Spieler, Trainer und Techniken, über Fouls, Fehlpässe, verpatzte Elfmeter – und ganz am Rande auch mal über verpatzte Grammatik. Eine Leserin war in einer dpa-Meldung über die Niederlande gestolpert. Genauer gesagt über das, was danach kam, nämlich das Wort »hat«.

Nach dem vorletzten Spiel der Fußballweltmeisterschaft in Brasilien hatten verschiedene Tageszeitungen eine Meldung der Deutschen Presseagentur abgedruckt, die folgendermaßen begann:

> Brasília (dpa) – Die Niederlande hat sich durch einen souveränen 3 : 0-Sieg gegen Gastgeber Brasilien den dritten Platz bei der Fußball-Weltmeisterschaft gesichert.

Eine Leserin zweifelte, ob dies die richtige Wortwahl sei, und wandte sich an mich. Nach ihrem Gefühl müsse es »Die Niederlande haben« heißen. Allerdings, gab die Leserin zu bedenken, stehe das Kürzel »dpa« davor; eine namhafte Agentur, die sich auskenne in der Welt und es wohl wissen müsse. Zu ihrer Beruhigung stellte ich fest: Auch die Deutsche Presseagentur kann sich irren, gerade in Bezug auf Grammatik. Die Niederlande heißen so, weil sie aus mehreren »niederen Landen« bestehen, darunter Friesland, Holland und Gelderland. Sie sind also ein Mehrzahl-Gebilde und haben daher Anspruch auf grammatische Plural-Behandlung. Oft denken wir bei den Niederlanden nur an einen Teil davon, nämlich an Holland, und sagen auch nur Holland, was die Niederländer selbst zum Glück nicht stört. Friesen, Drenther, Gelderländer, Seeländer, Brabanter und

Limburger regt es in der Regel nicht auf, wenn sie von uns für Holländer gehalten werden. Zum Ausgleich werden wir Deutsche dafür von den Franzosen allesamt für Alemannen gehalten und von den Finnen für Sachsen. Und von den Bayern für (Sau-)Preußen.

Was also den Ausgang der WM betrifft, so kann man nur feststellen: Die Niederlande *haben* sich den dritten Platz durch einen 3 : 0-Sieg gegen Brasilien gesichert, und sie *haben* ihn auch verdient. Jedes einzelne daran beteiligte niedere Land.

Die Ironie will es, dass die Niederländer selbst ihr Land als einen Singular sehen: das Niederland. Bei ihnen heißt es »Nederland heeft (nicht: hebben) gewonnen«. Im Deutschen, Englischen und im Französischen hingegen wird der europäische Staat, der weniger Fläche beansprucht als Niedersachsen, zu einem vielländrigen Gebilde: die Niederlande, the Netherlands, les Pays-Bas. Doch für die Niederländer gilt: ein König, ein Käse, ein Land. Hoch lebe Niederland!

Mehr zur Frage »Einzahl oder Mehrzahl?«:

»Die unvorhandene Mehrzahl« (»Dativ«-Band 1)
»Muss eine Reihe von Ministern müssen?« (»Dativ«-Band 5)
»Gibt es Leggings und Hotpants in der Einzahl?«
(in diesem Buch auf S. 57)
»Heißt es ›die Beatles‹ oder ›The Beatles‹?«
(auf den folgenden Seiten dieses Buches)

Heißt es »die Beatles« oder »The Beatles«?

Frage eines Redakteurs aus Halle: Sehr geehrter Herr Sick, in unserer Redaktion wütet gerade eine erbitterte Diskussion darüber, ob zu englischen Bandnamen gehörende Artikel eingedeutscht und dekliniert werden dürfen.
Die Band »The Beatles« trägt das »The« offiziell im Bandnamen, trotzdem wird sie in der deutschen Alltagssprache »die Beatles« genannt. Spricht man von »den Beatles«, wird der Artikel sogar dekliniert. Ist dies korrekt?
Andererseits würde bei »The Who« oder »The Cure« niemand auf die Idee kommen, den Artikel einzudeutschen. Muss man tatsächlich immer offiziell von »The Beatles« (oder gar von »den ›The Beatles‹«) sprechen oder Umwege nehmen wie »die Band ›The Beatles‹«?
Und wie schaut es mit deutschen Gruppen wie »Die Ärzte« oder »Die Toten Hosen« aus, darf man da von »den Ärzten« oder »den Toten Hosen« sprechen? Vielen Dank im Voraus für Ihre Antwort, vielleicht ist es ja auch Stoff für Ihre Kolumne.

Antwort des Zwiebelfischs: Sehr geehrter Leser, und ob das Stoff für meine Kolumne ist! Denn die Frage, wie Musikbands grammatisch zu behandeln sind, beschäftigt viele. Und weil es dabei auch um die Beatles geht, musste ich meine Illustratorin nicht lange bitten, eine Zeichnung der berühmten Pilzköpfe beizusteuern; denn die Beatles sind ihre Lieblingsband.

Wie Sie sehen können, habe ich »die Beatles« geschrieben und nicht »The Beatles«. Denn selbstverständlich darf man bei Musikgruppen den englischen Artikel »The« eindeutschen.

Ob bei den Beatles, den Bee Gees, den Rattles, den Searchers, den Byrds, den Beach Boys, den Kinks, den Hollies oder den Rolling Stones – der deutsche Artikel steht hier mit Fug und Recht und wird in Genitiv und Dativ entsprechend gebeugt: die Lieder *der* Beatles; die Karriere *der* Stones; die größten Hits *der* Beach Boys.
Dass man es im Falle von »The Who« nicht gemacht hat, lag vermutlich daran, dass der Name so kurz war. Vielleicht auch, um eine Verwechslung zu verhindern, denn wenn Zeitungen von »die WHO« schrieben, war damit in der Regel die Weltgesundheitsorganisation gemeint. Meine Illustratorin spricht allerdings von »den Who«, und bei ihr klingt das keinesfalls albern, zumal sie sich in der englischen Popmusik der 60er- und 70er-Jahre sehr gut auskennt.

Als die Band »The Jackson Five« die Plattenfirma wechselte, musste sie sich in »The Jacksons« umbenennen, weil sich ihre alte Firma Motown Records den Namen »Jackson Five« mitsamt Artikel hatte schützen lassen. Aber niemand musste deswegen im Deutschen von »The Jackson Five« reden oder schreiben, und er muss es auch heute nicht, denn die Gesetze zum Markenschutz rangieren nicht über den Regeln der Grammatik.

Bei »The Mamas & The Papas« blieb es jedoch beim englischen Artikel, zumal er innerhalb des Namens noch einmal auftauchte und »die Mamas and The Papas« sehr seltsam geklungen hätte. Dafür wurde die Band aber oft zu »den Mamas & Papas« verkürzt. Anfangs schrieb sie sich übrigens noch mit Apostroph: »The Mama's & The Papa's«, später dann ohne. Ein schönes Beispiel, wie aus Kindern Leute werden, denn mit Apostroph waren die Bandmitglieder »der Mama und des Papas« liebe Kinder, ohne Apostroph wurden sie selbst zu Müttern und Vätern.

In meiner Jugend in den 70ern kam Englisch nur in Popliedern vor. Alle anderen Texte – Nachrichten, Werbesprüche, Lehrmaterialen, Bedienungsanleitungen – waren auf Deutsch. Das Internet gab es noch nicht. Heute ist Englisch so allgegenwärtig, dass viele Journalisten deutlich weniger Vertrauen in die Kraft und Schönheit ihrer Muttersprache haben und überzeugt sind, es nur dann richtig zu machen, wenn sie den Artikel bei einem Bandnamen unübersetzt lassen und auf eine Beugung verzichten. Doch wenn man in einem deutschen Text über Paul McCartney liest, er »gehörte zu ›The Beatles‹«, dann zeugt das nicht von Kompetenz, sondern eher vom Gegenteil. Die Irrelevanz des Artikels zeigt sich nicht zuletzt beim Blick ins Plattenregal oder ins Stichwortregister: Dort finden Sie die Beatles für gewöhnlich unter »B«, nicht unter »T«.

Für deutsche Bands wie »Die Ärzte« und »Die Toten Hosen« gilt die Beugungserlaubnis genauso. Wenn ein Ansager ins Mikro raunt »Und hier kommt der neueste Song von ›Die Toten Hosen‹« und ein Redakteur von »einem Treffen mit ›Die Ärzte‹« berichtet, mögen sie damit vielleicht die Interessen der Musikindustrie bedienen, doch nicht die Hörgewohnheiten der Hörer. Auch die Artikel anderer Sprachen können übersetzt werden. Es spricht nichts dagegen, die niederländische Formation »De Toppers« auf Deutsch »die Toppers« zu nennen und die französische Gruppe »Les Négresses Vertes« als »die Négresses Vertes« anzukündigen. Eine französische Band hat das Verwirrspiel um Artikel und Umlaute übrigens auf äußerst amüsante Weise aufgegriffen und nennt sich »The Les Clöchards«. Hier kann man das »The« gern unübersetzt lassen, da es witzig ist.

Als ich noch als Korrekturleser arbeitete, stellte sich immer mal wieder die Frage, ob Musikgruppen, die keinen Mehrzahlartikel im Namen haben, trotzdem als Mehrzahl aufzufassen seien. Heißt es »Coldplay *kommt* nach Deutschland« oder »Coldplay *kommen* nach Deutschland«? Darüber gab es lange Diskussionen. Für mich war die Sache sonnenklar: Der Name der Band steht für die Band, und die Band ist ein Wort im Singular. Denkt man sich vor Coldplay den erklärenden Zusatz »die britische Band«, dann wird deutlich, dass Coldplay kein Plural sein kann.

»Eine Band besteht aber aus mehreren Mitgliedern«, gab unser Kulturredakteur zu bedenken, der ein Verfechter der Mehrzahl war. Damit konnte er mich jedoch nicht überzeugen: »Ein Unternehmen besteht ebenfalls aus mehreren Menschen«, sagte ich, »und trotzdem heißt es nicht ›Siemens haben‹ oder ›Aldi werden‹. Länder bestehen erst recht aus vielen Menschen, trotzdem heißt es ›Frankreich ist‹ und nicht ›Frankreich sind‹. Nur die USA *sind*, weil dies ein Plural ist: die Vereinigten Staaten. Coldplay aber ist kein Pluralwort, da kann die Band aus noch so vielen Mitgliedern bestehen.«

Der Plural sei auch eine Hilfe für jene Leser, die mit einem Bandnamen nichts anfangen könnten, meinte unser Kulturredakteur. Am Plural könne jeder erkennen, dass es sich um eine Gruppe handele und nicht um einen Solo-Künstler.
Ich erwiderte, dass die besten Verständnishilfen nach wie vor ein klarer Ausdruck und eine korrekte Grammatik seien. Und wenn damit zu rechnen sei, dass der Name einer Band nicht allen Lesern bekannt ist, täte man ohnehin besser daran, sie mit einem erklärenden Attribut zu versehen: die britische Punkband X, die deutsche New-Wave-Band Y, die amerikanische Boygroup Z.

Im englischsprachigen Raum steht man übrigens vor derselben Frage und wird sich auch dort nicht einig: »How many number ones *has* Coldplay had?« fragen die einen im Singular, »Coldplay *have* had 12 hits in 9 years« antworten die anderen im Plural.

Auf der deutschen Wikipedia-Seite der Band Coldplay geht es drunter und drüber: »Coldplay ist eine britische Pop-Rock-Band«, erfährt man dort zunächst im Singular, dann wechselt es in den Plural: »Am 16. Juni 2008 starteten Coldplay in London ihre Viva-la-Vida-Tour.« Die Schlussinformation steht dann wieder im Singular: »Coldplay unterstützt seit Jahren die Entwicklungshilfsorganisation Oxfam.« Die Fakten mögen stimmen, die Grammatik aber schwankt wie eine Fähre auf der Fahrt nach Helgoland.

Meine Lieblingsband ist übrigens Abba. Schließlich hat Abba mich durch meine gesamte Jugend begleitet. Unser Kulturredakteur hätte gesagt: Abba hat nicht, Abba haben! Aber was weiß der von meiner Jugend? Wir hatten Abba, und Abba hatte alles! Abba hallo!

Zur Eindeutschung von Fremdwörtern:
»Er designs, sie hat recycled, und alle sind chatting«
(»Dativ«-Band 1)

Zur Behandlung von Namen im Plural:
»Hat die Niederlande den dritten Platz verdient?«
(in diesem Buch auf S. 42)

Zur Schreibweise von Musiktiteln:
»Liebling, Was Wird Nun Aus Uns Beiden?«
(»Dativ«-Band 5)

Die Drei-Komponenten-Regel

Wenn ein Lied von Helene Fischer zur Nummer eins wird, ist es dann ein »Nummer eins Hit«, ein »Nummer eins-Hit« oder ein »Nummer-eins-Hit«? Wenn nach ihr irgendwann einmal ein Stadion benannt wird, ist es dann das »Helene Fischer Stadion«, das »Helene Fischer-Stadion« oder das »Helene-Fischer-Stadion«? Obwohl die Regeln hierzu eindeutig sind, wird der Gebrauch des Bindestrichs immer unverbindlicher.

Zwei Euro, zehn Kilometer und hundert Gramm werden jeweils in zwei Wörtern geschrieben, das ist sonnenklar. Doch wenn die zwei Euro, die zehn Kilometer und die hundert Gramm als Bestimmung vor ein Hauptwort treten, dann sieht die Sache anders aus. Dann nämlich geben sie ihre Eigenständigkeit auf und gehen mit dem Hauptwort eine Verbindung ein, und ein neuer Begriff entsteht: Eine Münze mit einem Wert von zwei Euro ist eine »Zwei-Euro-Münze«, ein Lauf über zehn Kilometer ist ein »Zehn-Kilometer-Lauf« und eine Packung, die hundert Gramm enthält, ist eine »Hundert-Gramm-Packung«.
Den Regeln unserer Rechtschreibung gemäß wird der neu entstandene Begriff durchgekoppelt, das heißt: Alle Teile werden mit Bindestrichen verbunden. Wenn man Ihnen also statt einer Zwei-Euro-Münze eine »Zwei Euro-Münze« oder eine »Zwei Euro Münze« anbietet, können Sie sicher sein, dass es sich um eine Fälschung handelt oder zumindest um eine Falschschreibung.

Man kann diese Wortverbindungen übrigens auch zusammenschreiben: Zweieuromünze, Zehnkilometerlauf, Hundertgrammpackung. Das Deutsche zeichnete sich immer schon durch seine Befähigung zur Langwortkomposition aus. Wenn man sich jedoch entscheidet, das Zahlwort in Ziffern darzustellen, muss man bei Bindestrichen bleiben: 2-Euro-Münze, 10-Kilometer-Lauf, 100-Gramm-Packung.

Wann immer aus zwei unverbundenen Teilen (A B) durch Hinzufügen eines dritten (C) ein neuer Begriff entsteht, tritt die »Drei-Komponenten-Regel« in Kraft, und aus A B plus C wird A-B-C.

Das Rennen der Formel 1 wird zum »Formel-1-Rennen«, die Belegung der Station 10 wird zur »Station-10-Belegung« und die Bewohner des Hauses in der Dorfstraße 17 werden zu den »Dorfstraße-17-Bewohnern«.

Wenn ich im Supermarkt einen Joghurt mit Aloe vera kaufe, dann ist es ein »Aloe-vera-Joghurt«, auch wenn das Etikett behauptet, es sei ein »Aloe vera-Joghurt«. Und wenn ich an einem Sportclub mit der Aufschrift »Kung Fu Schule« vorbeigehe, weiß ich, dass es sich in Wahrheit um eine »Kung-Fu-Schule« handelt. Wer sich um eine Sozialwohnung bewirbt, der braucht keinen »Paragraf 5-Schein« oder »§ 5-Schein«, sondern einen »Paragraf-5-Schein« oder »§-5-Schein«, denn es wäre paradox, wenn ausgerechnet Paragrafen von der Regel ausgenommen sein sollten. Manchmal kann das Fehlen der Bindestriche sogar zu Missverständnissen führen. An einer Bar las ich mal den Hinweis »Oben ohne Bedienung« und fragte mich, ob das wohl bedeutete, dass man im ersten Stock nicht bedient wurde.

Die Drei-Komponenten-Regel gilt auch dann, wenn Namen im Spiel sind: Ein Roman von Max Frisch ist ein Max-Frisch-Roman, eine Tasche von Coco Chanel eine Coco-Chanel-Tasche und eine nach Konrad Adenauer benannte Straße eine Konrad-Adenauer-Straße. Und wenn die Per-

son noch einen Doktortitel besitzt oder ein »von« im Namen trägt, dann werden auch diese Zusätze mit Bindestrich verbunden: Dr.-Julius-Leber-Straße, Bettina-von-Arnim-Bibliothek, Freiherr-vom-Stein-Gymnasium.
Was für dreigliedrige Zusammensetzungen gilt, gilt selbstverständlich ebenso für Zusammensetzungen aus vier, fünf oder mehr Komponenten, wie die Rafael-van-der-Vaart-Autogrammkarte oder die Johann-Wolfgang-von-Goethe-Gedenkmünze.

Im Englischen gibt es diese Regel nicht, da stehen alle Glieder einer Verbindung unverbunden nebeneinander. Der größte Flughafen New Yorks heißt auf Englisch »John F. Kennedy International Airport«.
Wenn sich hierzulande mittlerweile immer mehr Einrichtungen, die nach Personen benannt worden sind, durch fehlende Bindestriche auszeichnen, so ist dies zweifellos mit der Dominanz des Englischen zu erklären. Da bei Schreibweisen von Namen ein starker Trend zu internationaler Vereinheitlichung besteht, wird der Bindestrich bei Namenszusammensetzungen eines Tages vielleicht ganz verschwunden sein, und wir spazieren fröhlich durch die bindestrichlose »Günter Grass Straße« zum »Marcel Reich Ranicki Platz«, besuchen das »Loki Schmidt Museum«, holen unsere Kinder von der »Richard von Weizsäcker Schule« ab und fahren zum Rockkonzert ins »Helene Fischer Stadion«.

Vorest aber gelten die deutschen Regeln zur Zusammenschreibung noch, und sie gelten auch für Zusammensetzungen, an denen Namen und Wörter aus anderen Sprachen beteiligt sind. Darum wird der Marathon in New York im Deutschen zum »New-York-Marathon«, die Besteigung des Mount Everest zur »Mount-Everest-Besteigung« und

das Endspiel der Champions League zum »Champions-League-Endspiel«.
Englisch ist die völkerverbindende Sprache Nummer eins, Deutsch aber ist die wörterverbindende Nummer-eins-Sprache.

Weiteres zum Thema:

»Das Elend mit dem Binde-Strich« (»Dativ«-Band 1)
»Dem Wahn Sinn eine Lücke« (»Dativ«-Band 2)
»Der antastbare Name« (»Dativ«-Band 3)
»Grüner Eintopf mit Bohnen« (»Dativ«-Band 4)
»Tüten Suppe aus der Suppen Tüte« (»Dativ«-Band 5)

Weiter kommen oder weiterkommen?

Beim Blättern in einem Magazin für Schüler und Studenten lachte mir eine junge Frau entgegen, die ein knallrotes T-Shirt mit dem Aufdruck trug: »Lieber weiter kommen, als stehen bleiben!« Dabei handelte es sich um eine Werbung des Textildiscounters Kik. Der näht nicht nur mit der heißen Nadel, der wirbt auch so.

Trotz des gewinnenden Lächelns und des knalligen Rottons konnte ich nicht umhin zu bemerken, dass das Komma vor dem »als« fehl am Platz war. Und mehr noch: Auch die Schreibweise »weiter kommen« gab mir zu denken. Sie warf nämlich Fragen auf: Zu wem soll man lieber weiter kommen als stehen zu bleiben? Zum Nachhilfelehrer? Zum Therapeuten?

Wenn »weiter« alleinstehend auftritt, hat es entweder die Bedeutung »weiter als« oder »weiterhin«. Die Schreibweise »weiter kommen« bedeutet also entweder »weiter kommen als irgendjemand sonst« oder »weiterhin kommen«. Doch diese beiden Möglichkeiten scheiden für die Kik-Kampagne aus. Die Vermutung liegt nahe, dass »weiterkommen« im Sinne von »vorankommen« gemeint ist. Nur stand das eben nicht so auf dem Shirt. Dafür stand neben dem Firmenlogo noch »Der Chancengeber«.

Wann immer »weiter« die Bedeutung »voran« oder »vorwärts« hat, ist Zusammenschreibung angesagt. Ob weiterempfehlen, weiterentwickeln, weiterleiten, weiterreichen, weitersagen oder weiterverschenken – sie alle werden zusammengeschrieben. Denn »weiter« geht hier mit dem jeweiligen Verb eine weitergehende Verbindung ein, bei der ein neuer Sinn entsteht. Bei diesem Zusammenschluss gibt das Verb seine Eigenständigkeit und damit auch seine Betonung auf. Die Betonung liegt einzig auf der Vorsilbe »weiter«.

Wenn »weiter« aber »weiterhin« bedeutet oder eine Steigerung zum Ausdruck bringt (und das ist immer dann der Fall, wenn dem »weiter« ein »als« folgt), dann liegt die Betonung sowohl auf »weiter« als auch auf dem Verb:

> Anfangs konnte keiner der Schüler weiter werfen als der Lehrer, weshalb er ihnen riet: »Nicht aufgeben und immer schön weiterwerfen!«

Manchem Nachhilfelehrer ist es vielleicht lieber, wenn seine Schüler schlechte Noten schreiben, denn dann werden sie weiterhin zu ihm kommen. Wenn sie aber in der Schule weiterkommen, brauchen sie ihn irgendwann nicht mehr und werden nicht weiter kommen.

Wie so oft in der Werbung fehlte auch bei dieser T-Shirt-Kampagne der letzte Schliff, um nicht zu sagen: der ultimative »Kik«. Wer sich als »Chancengeber« aufstellen will, sollte seine Sorgfalt nicht nur auf die Auswahl der Fotomodelle verwenden, sondern auch das gedruckte Wort überprüfen. Nur so wird man wirklich weiterkommen.

weiter … (weiter als/weiterhin)	weiter… (vorwärts/voran)
weiter fahren »Mein Floß wird weiter fahren als jeder Weltumsegler!«	**weiterfahren** »Lass uns endlich weiterfahren!« »Er war zu aufgeregt, um weiterzufahren.«
weiter gehen »Ich werde sogar noch einen Schritt weiter gehen als du!« »Diesmal ist er zu weit gegangen!«	**weitergehen** »Bitte weitergehen! Nicht stehen bleiben!« »Es könnte ewig so weitergehen!«
weiter helfen »Du darfst ihm nicht weiter helfen, er muss lernen, es von selbst zu schaffen!«	**weiterhelfen** »Kann ich Ihnen weiterhelfen?« »Sie haben mir damit sehr weitergeholfen!«
weiter machen »Ich kann die Hose für Sie etwas weiter machen.«	**weitermachen** »Gut so! Weitermachen!« »Aufhören oder weitermachen?«
weiter reisen »Wir sind ziemlich weit gereist, aber unsere Nachbarn sind noch weiter gereist.«	**weiterreisen** »Von England sind sie nach Irland weitergereist.«
weiter sehen »Raubvögel können schärfer und weiter sehen als Menschen.«	**weitersehen** »Wir werden abwarten und weitersehen.«
weiter werfen »Paul kann den Ball weiter werfen als Leon.«	**weiterwerfen** »Ihr müsst den Ball weiterwerfen, von einem zum anderen, bis er wieder bei mir ankommt!«
weiter ziehen »Wenn du mit deinem Blatt noch nicht auslegen kannst, musst du weiter ziehen.«	**weiterziehen** »Schon morgen wird die Karawane weiterziehen.«

Gibt es Leggings und Hotpants in der Einzahl?

Frage eines Lesers aus Aurich: Hallo Zwiebelfisch, mir jagt es immer einen Schauer über den Rücken, wenn jemand die Bekleidungsstücke »Leggings« und »Hotpants« mit weiblichem Artikel gebraucht. In einem Dialog, den ich tatsächlich gehört habe, klang das etwa so:

> »Meinst du, ich kann dazu 'ne Leggings anziehen?«
> »Dazu kannst du sogar 'ne Hotpants tragen!«

Ich kann mir nicht vorstellen, dass das so richtig ist. Meiner Meinung nach sollte man diese Wörter wie im Englischen ausschließlich im Plural benutzen:

> »Meinst du, ich kann dazu Leggings anziehen?«
> »Dazu kannst du sogar Hotpants tragen!«

Ob ich damit richtigliege, konnte ich aber leider bislang nicht herausbekommen.

Antwort des Zwiebelfischs: Lieber Leser! Der Umgang mit Leggings und Hotpants wirft eine Menge Fragen auf. Da wäre zunächst die Frage nach dem Numerus, also: Einzahl oder Mehrzahl? Und die stellt sich bei allen Hosen, egal ob Hotpants, Leggings, Jeans oder Shorts: Hosen gab es früher nur im Paar, denn bei den alten Germanen und Kelten war die einzelne Hose ein beinlanger Strumpf, der am »Bruch« befestigt wurde, einer kurzen Hose, deren Name auf das germanische Wort »brōk« zurückgeht, das »Hinterteil« bedeutet. Mit einem Beinstrumpf allein war es freilich nicht getan. Der vollständig bekleidete Mann trug also stets zwei Hosen, an jedem Bein eine. Dieser Gebrauch findet sich noch heute in Redewendungen wie »Sie hat die Hosen an«

und »Er hat die Hosen voll«. Damit ist jeweils nur ein einzelnes Hosenpaar gemeint, nicht etwa mehrere Hosen übereinander oder die Kombination aus Hose und Unterhose. Eine einzelne Hose trägt allein der Wind: Die Windhose erinnert uns daran, dass die Hose ursprünglich eine Röhre, ein Schlauch war.

Im Laufe der Zeit aber wandelte sich die Bedeutung des Wortes »Hose« vom einzelnen Hosenbein zum kompletten Hosenpaar, sodass wir heute von einer Hose sprechen, wenn nach alter Vorstellung zwei gemeint sind. Die Engländer sind der alten Vorstellung, dass Beinkleider immer aus einem Paar bestehen, länger treu geblieben als wir und verwenden daher Leggings, Hotpants und Shorts noch heute ausnahmslos im Plural.

Das spielt für die deutschen Leggings- und Hotpantsträger jedoch keine Rolle. Bei der Übernahme ins Deutsche werden Importwörter oft so behandelt wie ihre deutsche Übersetzung, und weil die Hosen nun mal zur Hose geworden sind, werden auch mehrzählige Leggings, Hotpants und Shorts oft wie Einzelstücke behandelt. Das gilt freilich als umgangssprachlich, laut Wörterbuch sind Leggings und Hotpants auch bei uns nur in der Mehrzahl erhältlich. Dafür gibt es sie in unterschiedlichen Schreibweisen: Leggings kann man auch »Leggins« schreiben (nicht aber »Legings« oder »Legins«), und »Hotpants« gibt es auch als zweiteilige »Hot Pants«.

Auch Shorts gibt es nur in der Mehrzahl, bei Jeans und Tights (= Strumpfhosen) allerdings vermerkt das Wörterbuch auch einen Singular. Was uns zur zweiten Frage führt, der Frage nach dem Genus: Welches Geschlecht haben diese Hosen-Wörter? Zwar werden Boxershorts bevorzugt von Männern getragen, aber das macht sie nicht unbedingt männlich. Umgekehrt sind Hotpants nicht zwangsläufig weiblich. Im Englischen sind alle Dingwörter sächlich. Demzufolge müsste es »das Jeans« heißen. Tut es aber nicht, genauer gesagt: tut *sie* aber nicht, denn die Jeans ist im Deutschen weiblich. Weil sie eine Hose ist und weil »Hose« nun mal ein weibliches Wort ist. Der Volksmund setzt sich gern über die Importrichtlinien hinweg, erklärt Pluralformen zum Singular (und macht aus Spaghetti mit Scampi Spaghettis mit Scampis) und gibt Dingen ein neues Geschlecht. Das ist sein gutes Recht, und so ist es wohl nur noch eine Frage der Zeit, bis »die lilane Leggins«, »die knackige Shorts« und »die heiße Hotpants« salonfähig geworden sein werden.

Deutsche Modeimporte aus dem Englischen	
Deutsch	**Englisch**
Bermudashorts, Pl.	Bermuda shorts, Pl.
Body, m.	body stocking, bodysuit
Boxershorts, Pl.	boxers, boxer shorts, Pl.
Cardigan, m. (Strickjacke)	cardigan
Chinohose, Chino, w. (Baumwollhose)	chinos, Pl.
Dufflecoat, m.	duffle coat
High Heels, Highheels, Pl.	high heels, Pl.
Hot Pants, Hotpants, Pl. (»heiße Hosen«, kurze u. enge Damenhosen)	hot pants, Pl.
Jeans, Pl., auch Sg. f.	jeans, Pl.
Jogginghose, f.	jogging trousers, jogging bottoms, Pl.
Leggins, Leggings, Pl.	leggings, Pl.
Longsleeve, s. (langärmliges T-Shirt)	long-sleeved t-shirt
Overall, m.	jumpsuit (lang), playsuit (kurz)
Petticoat, m.	petticoat

Deutsche Modeimporte aus dem Englischen	
Deutsch	**Englisch**
Pullover, m.	jumper, sweater, pullover (klassisch mit V-Ausschnitt)
Pullunder, m.	tank top, slipover, sleeveless vest (BE)/sleeveless sweater (AE)
Shorts, Pl.	shorts, Pl.
Slip, m.	knickers, briefs, shorts, shorties (BE), Pl./ panties (AE), Pl.
Sneaker, m./Sneakers (Turnschuhe)	trainers (BE)/sneakers (AE), Pl.
Tight, f./Tights (Strumpfhosen)	tights, Pl.
Sweatshirt, s.	sweatshirt
T-Shirt, s.	t-shirt, T-shirt, tee
Top, s. (ärmelloses Oberteil, Trägerhemd)	tank top
Treggings, Jeggings , Pl. (hautenge Hosen)	treggings, jeggings, Pl.
Trekkinghose, f.	walking trousers (BE)/ hiking pants (AE), Pl.
Trenchcoat, m.	trench coat
AE = Amerikanisches Englisch m. = männlich f. = weiblich Pl. = Plural Sg. = Singular	BE = Britisches Englisch s. = sächlich

Zur Beugung von Farbadjektiven:
»Sind rosane T-Shirts und lilane Leggings erlaubt?«
(»Dativ«-Band 1)

Zum Plural bei Fremdwörtern:
»Visas – die Mehrzahl gönn ich mir« (»Dativ«-Band 1)

Zur Behandlung englischer Importwörter:
»Er designs, sie hat recycled, und alle sind chatting«
(»Dativ«-Band 1)

Eine Klobrille namens Maren

Die drollige Sprache des Ikea-Konzerns kommt bei den meisten Kunden gut an. Doch das familiäre Knuddelimage ist kein liebenswerter Zufall, sondern knallhart kalkuliert. Manchmal geht der Marketingabteilung aber auch etwas daneben. Besonders bei einem Produkt erwies sich die frisch-fröhliche Namensgebung als buchstäblicher Griff ins Klo.

Am vergangenen Samstag war ich mal wieder bei Ikea. Eine tolle Idee, auf die außer mir nur ungefähr 10.000 andere Hamburger gekommen waren, sodass ich die 600 Meter von der Autobahnabfahrt bis auf den Ikea-Parkplatz in einer Rekordzeit von 45 Minuten schaffte.
Frischen Mutes kämpfte ich mich in die Markthalle vor, prüfte »Färgrik« und »Snöfint« in der Geschirrabteilung, musterte »Torva« und »Len« in der Bettenabteilung und begrüßte »Knipsa« und »Moppe« in meiner Lieblingsabteilung »Ordnen und Verstauen«. Ich schob meinen Einkaufsgeländewagen bereits in Richtung »Kassa-Slanga«, als es mir beim Anblick eines alltäglichen Gebrauchsgegenstands plötzlich den Atem verschlug. Weder seine ovale Form noch seine weiße Farbgebung war außergewöhnlich. Das Besondere war der Name, der an dem Gegenstand prangte: »Maren«. Ein ausgesucht schöner Name. Ein Name, mit dem ich Gesichter und Erlebnisse verbinde. Und welchen Gegenstand zierte dieser Name hier in der Markthalle von Ikea? Einen Toilettensitz!
Ich machte sogleich ein Foto und schickte es meinen Freunden Philipp und Maren. »Nach Frauen hat man Rosen benannt, Modemagazine, Schiffe, Automodelle und Wirbelstürme«, schrieb ich dazu. »Bei Ikea müssen Frauen nun auch für Klobrillen herhalten!«

Kurz darauf rief Philipp mich an: »Kannst du mir eine mitbringen? Möglichst eine mit aufgedrucktem Namen und Preis, 7,99 Euro, wie auf deinem Foto?« – »Was hast du damit vor?«, fragte ich argwöhnisch. Philipp seufzte: »Ich werde meiner Liebsten täglich vor Augen halten, wie zweckorientiert und preiswert eine Maren sein kann!«
Maren selbst fand die Sache weniger witzig, und ich konnte sie verstehen: Wer will schon heißen wie ein Toilettensitz von Ikea?
Meiner Meinung nach geht das schwedische Möbelhaus etwas zu weit in seinem zwanghaften Bestreben, jedem Produkt einen Namen zu geben. Wenn ein Regal Billy oder ein Stuhl Stefan heißt, geht das noch in Ordnung. Doch Mülleimer und Toilettensitze brauchen keine Namen. Jedenfalls keine menschlichen.

Dass ein Wischmopp »Lödder« heißt, ist noch annehmbar, zumal »Lödder« kein Vorname ist, sondern das schwedische Wort für Seifenschaum. Auch dass es mal eine Klobürste namens »Viren«* gab, ist aus hygienischen Gründen nachvollziehbar.
In einer Verlautbarung der Marketingabteilung kann man erfahren, dass hinter der Namensvergabe bei Ikea ein System steckt. So werden Gartenmöbel immer nach schwedischen Inseln benannt, Sessel und Sofas nach Städten und Badezimmerartikel nach Flüssen und Seen. Für Leuchten werden Begriffe aus der Chemie und der Musik verwendet, praktische Möbel wie Stühle, Regale und Tische erhalten Männernamen, während Stoffe und Gardinen Frauennamen tragen. Das klingt nach einem inzwischen doch recht überkommenen Rollenverständnis. Dessen ist man sich vielleicht auch bei Ikea bewusst geworden und hat sich

* siehe »Happy Aua«, S. 89

vorgenommen, künftig nicht nur Flatterhaftes und Farbenfrohes nach Frauen zu benennen, sondern auch mal was Praktisches, Grundsolides. Warum man ausgerechnet mit einem Klodeckel anfangen musste, wird mir allerdings ein Rätsel bleiben.

Knodd – so wie der Mülleimer heißt – ist vermutlich eher ein knörziges, knuddliges Fantasiewort als ein real existierender Männername. Ich kenne jedenfalls niemanden, der Knodd heißt. Warum hat man dann nicht auch beim Toilettensitz einfach die Fantasie walten lassen? Hula, Loping, Guggiluggi, Brillehus, Konigskring, Pipiklappa – all das wären passende und (mehr oder weniger) wohlklingende Namen für eine Klobrille gewesen. Ist Ikea die nötige Fantasie womöglich ausgegangen?
Maren ist ein klangvoller Name und hat Besseres verdient, als auf einem Klodeckel zu landen. Er stammt vom lateini-

schen »marinus«, und das bedeutet »am Meer lebend« – und nicht etwa »hinfortgespült«.

Wer Utensilien, die zur Entsorgung von Unrat und Ausscheidungen vorgesehen sind, menschliche Vornamen gibt, zieht sich nur Ärger zu. Philipps Freundin Maren spielt bereits mit dem Gedanken, sich über Facebook mit anderen Marens zu einer Sammelklage gegen Ikea zu verabreden. Zuzutrauen ist ihr das wirklich, und sei es auch nur, weil sie darauf spekuliert, von Ikea mit einem großzügigen Einkaufsgutschein abgefunden zu werden. Für noch mehr Knodd, Knipsa, Lödder, Bröllop, Färgrik, Torva und Snöfint.

Mehr zum Thema Ikea:

»Siezt du noch, oder duzt du schon?«
(»Dativ«-Band 4)

Meines Onkel(s) Tom(s) Hütte

Eine Leserin wollte von mir wissen, was aus Onkel Toms berühmter Hütte wird, wenn man davor noch ein weiteres Wort stellt, zum Beispiel das Pronomen »meines«. Wird sie dann zu »meines Onkel Toms Hütte« oder zu »meines Onkels Tom Hütte«? Eine knifflige Frage: Wie viel Genitiv vertragen eine alte Hütte und ihr Besitzer?

Seit Tagen brütete die Hitze und ließ die geringste Bewegung und jegliches Nachdenken zu einer Anstrengung werden. Ich wollte den Computer schon ausschalten, um mich erschöpft in meinen neuen Liegestuhl sinken zu lassen (eine Leihgabe meines Freundes Henry, nachdem mein alter zusammengebrochen war), da sah ich, dass eine neue E-Mail eingetroffen war. Ich hätte es auf einen kühleren Zeitpunkt verschieben können, die Mail zu lesen, aber meine Neugier zwang mich, dies sofort zu tun. Also las ich:
»Lieber Herr Sick, ich bin schon seit Langem Fan ihrer Kolumne und natürlich der Buchreihe ›Der Dativ ist dem Genitiv sein Tod‹ – auch der fünfte Band, den ich soeben ausgelesen habe, hat mir sehr gefallen.« Da hatte sich das Öffnen der Mail doch schon gelohnt, dachte ich erfreut. Aber es ging weiter: »Nun muss ich selbst einmal eine Frage loswerden, die mich schon länger beschäftigt: ›Onkel Toms Hütte‹ ist natürlich ein tadelloser deutscher Genitiv. ›Meines Onkels Hütte‹ ebenso. Man kann selbstverständlich auch sagen: ›Die Hütte meines Onkels Tom‹. Wie aber, wenn ich sowohl Pronomen als auch den ›Onkel‹ und noch dessen Namen voranstellen will? ›Meines Onkels Toms Hütte‹? Oder ›meines Onkel Toms Hütte‹ – so wäre es ja im Englischen (›My uncle Tom's cabin‹)? Beides klingt für mich etwas holperig – aber das muss sich doch auch im Deutschen grammatisch eindeutig lösen lassen, oder? Vielleicht können Sie mir weiterhelfen!«

Ach du meine Güte! Das hatte ich nun davon! Statt im Liegestuhl vor mich hinzudösen, saß ich vor meinem Computer und zerbrach mir den Kopf über ein grammatisches Luxusproblem. Luxus deshalb, weil es hier nicht um eine so alltägliche Frage ging wie »Schläft man besser *im* Liegestuhl oder *auf einem* Liegestuhl?«, sondern um eine extravagante Häufung von Genitiven, wie sie heute höchstens noch in schwer verdaulicher Literatur zu finden ist.
Aber so etwas reizt mich bekanntlich, also bekämpfte ich die Trägheit meines Geistes und setzte an zum grammatischen Sturm auf Onkel Toms Hütte, um sie zur Hütte meines Onkels Tom zu machen.

Für sich allein bilden die Worte »Onkel« und »Tom« eine Namenseinheit, und diese Einheit braucht nur einmal, nämlich am Ende von »Tom«, mit einem Genitiv-s markiert zu werden. Darum heißt der Roman von Harriet Beecher Stowe »Onkel Toms Hütte« und nicht etwa »Onkels Toms Hütte«.

Aber durch das vorangestellte »meines« wird die Namenseinheit von »Onkel Tom« aufgebrochen und »Onkel« wieder zu einem gewöhnlichen Hauptwort zurückgestuft: »meines Onkels – also des Toms – Hütte« ist tatsächlich »meines Onkels Toms Hütte«. Eine Tür, zwei Fenster, drei Genitivmarkierungen – fertig ist die Laube.
Ebenso wird »die Geburtsstadt meines Freundes Peter« in anderer Satzstellung zu »meines Freundes Peters Geburtsstadt« und »die Amtszeit des Kanzlers Schröder« zu »des Kanzlers Schröders Amtszeit«.

Noch deutlicher wird es, wenn dem Namen ein Beiname folgt, wie bei Kaiser Karl, der oft »der Große« genannt wird. Dessen Gefolge war folgsam und folglich »des Kaisers Karls des Großen folgsames Gefolge«. Gleich fünfmal wird hier der Genitiv markiert, viermal mit »s« und einmal mit »n«. Da behaupte noch mal jemand, der Genitiv sei des Todes!

Allerdings wird er in einer solchen Häufung auch von Puristen als übertrieben und letztlich unschön empfunden, wie alles, was des Guten zu viel ist. Ich empfahl der Leserin daher, es im Fall von Onkel Tom und seiner Hütte dabei zu belassen, den Onkel ans Ende und die Hütte an den Anfang zu stellen: »die Hütte meines Onkels Tom«.

Das Ganze ist zugegebenermaßen recht verzwickt und auch nicht unbedingt mit Logik, sondern eher mit tradierten Gewohnheiten zu erklären. Man kann verstehen, weshalb der Genitiv in den Mundarten nie richtig Fuß gefasst hat und »meines Onkels Toms Hütte« im rheinischen Singsang zu »mingem Ohm Tom sing Hütte« wird. Na schön, das Letzte muss man nicht unbedingt verstehen, aber wie auch immer, ich war zu einem Schluss gelangt und endlich bereit, mich zu ergeben: dem süßen Schlaf auf meines alten Freundes Henrys des Gutherzigen Liegestuhl.

Angle ich oder angel ich?

Frage einer Freundin aus der Eifel: Bei den Proben unseres Musicals »Schneeweißchen und Rosenrot« für die Brüder-Grimm-Märchenfestspiele in Hanau kam eine Frage auf. Es singt: Albin der Zwerg, Untergebener des Zwergenkönigs, der den Bären und den Adler anlocken möchte, um sie zu töten. Dazu gibt er sich als leichte Beute aus:

> *Hier sitz ich und ich angel*
> (oder – und das ist die Frage – *angle*?)
> *Es scheint der Sonnenschein.*
> *Bin arglos, wehrlos, klein und schwach und,*
> *Wie gesagt, allein!!!*

Mein Bauchgefühl sagt, dass es »Hier sitz ich und ich angel« heißen sollte. Aber begründen kann ich's nicht. Kannst du uns helfen?

Antwort des Zwiebelfischs: Das ist ja eine wunderbare Szene! Euer Musical wird bestimmt ein Glanzlicht der diesjährigen Festspiele. Um deine Frage gewissenhaft beantworten zu können, musste ich mir erst einmal ein Grammatiklehrbuch aus dem Hause Duden angeln. Dort fand ich nach einigem Suchen schließlich folgende Regel:

Bei Verben auf -eln wird das zum Wortstamm gehörende »e« in der 1. Person Singular Präsens heute im Allgemeinen ausgelassen.

Das bedeutet also, dass es statt

ich angele, ich bummele, ich häkele, ich puzzele, ich sammele

heute meistens eine Silbe kürzer heißt:

ich angle, ich bummle, ich häkle, ich puzzle, ich sammle

Das gilt übrigens auch für den Imperativ der 2. Person Singular:

Angle mir einen Fisch! Bummle nicht so! Häkle mal was anderes!

In der norddeutschen Umgangssprache lässt man allerdings lieber das »e« am Wortende wegfallen. Denn bei »ich angle« folgen ein nasales »n«, ein »g« und ein »l« aufeinander, das überfordert den Norddeutschen, der es lieber ruhig und breit mag. Darum heißt es für ihn in der 1. Person Singular »ich angel« und »ich sammel« und in der Befehlsform »Nun angel mir 'nen Fisch!« und »Sammel den Müll ein!«.
Im Bairischen hingegen bereitet das Aufeinanderprallen von Konsonanten weniger Probleme, hier ist der Ausfall einer unbetonten Silbe in der Wortmitte geradezu typisch (z. B. »abg'sperrt«, »ausg'fuchst«).

Lass Albin, den Untergebenen des Zwergenkönigs, also sagen: »Hier sitz ich und ich angle«, es sei denn, das Zwergenkönigreich soll in Norddeutschland liegen.

Und wenn du jetzt sagst: »Na gut, ich ändere das« und dich fragst, ob es nicht auch »ich ändre das« oder gar »ich änder das« heißen kann, dann sind wir bei den Verben auf -ern, die den Verben auf -eln ja nicht ganz unähnlich sind. Hierzu stellt das Lehrbuch fest, dass das »e« für gewöhnlich behalten wird: ich ändere, ich feiere, ich wandere. Die Formen »ich ändre, ich feire, ich wandre« sind offenbar eher die Ausnahme.

Und auch hier gibt es wiederum eine dritte Möglichkeit. Der Norddeutsche hat bekanntlich seinen eigenen Kopf und sagt daher Sachen wie: ich änder das, ich feier gern und ich wander lieber allein. Das Grammatiklehrbuch schweigt sich darüber aus. Es hält nur fest: Welches »e« auch immer wegfällt, ein Apostroph wird in keinem Fall gesetzt! Denn wenngleich an jede Angel auch ein Haken gehört, so wär ein Haken bei »ich angel« und »ich angle« doch verkehrt.

Zur Behandlung von Verben auf -eln und -ern in der Befehlsform:

»Nun fei(e)r(e) mal schön!«
(»Dativ«-Band 2)

Von sich und Ihnen

»Erleben Sie Weltklassemusik bei Ihnen live zuhause!« heißt es in einer Internetwerbung eines bekannten deutschen Geldinstituts. Eine solche Grammatik schafft alles und jeden, nur kein Vertrauen. Höchste Zeit, ein paar Dinge über den Gebrauch des Reflexivpronomens klarzustellen.

Es führt in unserer Sprache ein eher unscheinbares Dasein und ist doch von großer Bedeutung: das rückbezügliche Fürwort, auch Reflexivpronomen genannt. Es existiert in vielen verschiedenen Formen: als »mir«, »mich«, »dir«, »dich«, »uns« und »euch« und vor allem als »sich«. Doch es existiert nicht als »ihnen« oder »Ihnen«. Diese beiden letztgenannten sind Personalpronomen und nicht rückbezüglich.

Die Einladung »Erleben Sie Weltklassemusik bei Ihnen live zuhause!« stellt keinen Rückbezug her, sondern schafft Verwirrung. Es sieht nämlich so aus, als ob hier zwei Gruppen zugleich angesprochen würden, von denen die eine aufgefordert wird, die Weltklassemusik im Hause der anderen zu erleben. Das war aber bestimmt nicht gemeint; daher hat sich die Bank mit dieser Werbung keinen Gefallen getan. Und Ihnen auch nicht.

Zum Glück kommt die Verwechslung von »sich« und »Ihnen« nicht allzu häufig vor. Wenn jemand Ihre Kontaktdaten benötigt und Sie fragt, ob Sie ihm wohl eine Telefonnummer »von Ihnen« geben können, hätte es natürlich »von sich« heißen müssen. Aber das versteht ihn von selbst.

Die Frage lautet hier ausnahmsweise nicht »Zu dir oder zu mir?«, sondern: »Bei sich oder bei Ihnen?« Die Antwort hängt davon ab, ob ein Rückbezug vorliegt oder nicht. Im folgenden Satz ist die Sache klar:

> **Er** fühlte sich bei **sich** zu Hause nicht mehr sicher.

Ein deutlicher Fall von Rückbezug, denn »er« ist das Subjekt, und es geht um sein Zuhause. Im nächsten Satz geht es um denselben »er« und sein Zuhause, und doch ist der Bezug ein anderer:

> Er wollte sich vergewissern, ob bei **ihm** zu Hause alles in Ordnung war.

Hier liegt kein Rückbezug vor, denn das Subjekt des Nebensatzes ist nicht »er«, sondern »alles«. Im folgenden Beispiel ist es wieder anders:

> Er wollte sich vergewissern, ob **er** bei **sich** zu Hause noch sicher war.

Hier ist das »sich« wieder korrekt, denn es gibt ein »er«, auf das es sich beziehen kann.

Manchmal treten berechtigte Zweifel auf. Einem ersten Gefühl folgend ist man geneigt, ein »sich« zu setzen, doch bei längerem Nachdenken erweist es sich als falsch. Nehmen wir die Müllers, die zu sich nach Hause gingen. Und nehmen wir an, wir folgten ihnen dabei. Welcher Satz ist nun richtig?

> Wir folgten den Müllers zu **sich** nach Hause.
> Wir folgten den Müllers zu **ihnen** nach Hause.

Die Müllers gingen zwar »zu sich« nach Hause, doch der Rückbezug wird in dem Moment zerstört, in dem »wir« zum Subjekt werden. Daher ist die zweite Antwort korrekt.

Lassen wir die Frage »sich oder ihnen« damit auf sich beruhen und wenden wir uns einer anderen zu, die uns bei Sätzen mit Rückbezug viel häufiger beschäftigt; und zwar wo genau das Wörtchen »sich« zu stehen hat. Es ist nämlich nicht nur reflexiv, sondern auch sehr flexibel. Bald steht es hier:

> Immer wieder stellen **sich** Menschen diese Frage.

Und bald steht es dort:

> Immer wieder stellen Menschen **sich** diese Frage.

Nach traditionellem Sprachgebrauch steht das Reflexivpronomen unmittelbar hinter dem gebeugten Verb (hier: »stellen«). Im heutigen Sprachgebrauch lässt sich jedoch eine starke Tendenz erkennen, das »sich« weiter nach hinten zu rücken. Der zweite Satz ist daher ebenso möglich. Er ist nicht besser und nicht schlechter, höchstens etwas »moderner«.

Schauen wir uns ein anderes Beispiel an, diesmal eines mit einem Nebensatz:

> *Im Märchenwald dämmerte es bereits, als* ***sich*** *der Prinz leisen Schrittes an den Drachen heranschlich.*

Hier befindet sich das Reflexivpronomen gleich hinter dem Einleitewort (»als«). Dies ist wiederum die traditionelle Variante, wie sie von Lektoren und Korrektoren nach wie vor bevorzugt wird.

In der »moderneren« Variante rückt das Reflexivpronomen näher an das gebeugte Verb, in diesem Falle also hinter den Prinzen:

> *Im Märchenwald dämmerte es bereits, als der Prinz* ***sich*** *leisen Schrittes an den Drachen heranschlich.*

Bei der Verschiebung des »sich« um eine Position nach hinten bleibt es aber nicht immer. Hier und da wird gern bewiesen, dass sich das »sich« noch sehr viel weiter nach hinten rücken lässt. Die folgende, dritte Variante ist grammatisch zwar möglich, allerdings ist sie eher unkonventionell und aus diesem Grunde (noch) nicht zur allgemeinen Nachahmung empfohlen, auch wenn sie geradezu poetisch anmutet:

> *Im Märchenwald dämmerte es bereits, als der Prinz leisen Schrittes an den Drachen* ***sich*** *heranschlich.*

Ganz so modern ist das Nach-hinten-Schieben übrigens nicht. Man pflegte es bereits in der Klassik. In Friedrich Schillers »Kabale und Liebe« fragt Luise: »Wenn die Mücke in ihren Strahlen sich sonnt – kann sie das strafen, die stolze, majestätische Sonne?« Und seufzt bald darauf: »Ferdinand! Daß du doch wüßtest, wie schön in dieser Sprache das bürgerliche Mädchen sich ausnimmt.«

Dass unsereins nicht verkenne, wie elegant in dieser schönen Sprache das nach hinten verlagerte Reflexivpronomen sich ausnimmt!

Zuletzt noch ein paar Dinge in Kürze, die man über das Reflexivpronomen wissen sollte:

- Es gibt für die Siezform kein großgeschriebenes »sich«: »Haben Sie Sich gut amüsiert?« ist falsch. Richtig ist:

»Haben Sie sich gut amüsiert?«. »Sich« wird nur in einem einzigen Falle großgeschrieben, nämlich wenn es am Satzanfang steht.

- Zwar lautet das Reflexivpronomen der 3. Person sowohl in der Einzahl als auch in der Mehrzahl »sich« (er kennt sich aus; sie kennen sich aus), doch wenn zu einem Subjekt in der 3. Person (z. B. »mein Nachbar«) die 1. Person (»ich«) hinzutritt (also »mein Nachbar und ich«), dann lautet das Reflexivpronomen nicht »sich«, sondern »uns«: »Mein Nachbar und ich haben uns oft gegenseitig geholfen.«
- Wenn in einem Satz zwei »sich« aufeinandertreffen, ist das stilistisch nicht unbedingt schön, doch kein Grund, eines von beiden wegfallen zu lassen. »Es gehört sich, sich zu bedanken« ist inhaltlich wie grammatisch korrekt. Falsch hingegen wäre: »Es gehört sich, zu bedanken.«

Weiteres zum Gebrauch des Reflexivpronomens:

»Ich erinnere das nicht« (»Dativ«-Band 1)
»Liebet *einander*!« (»Dativ«-Band 4)
und auf den folgenden Seiten dieses Buches

Was macht das »’s« in »ehe man sich’s versieht«?

Viele Redensarten sind jahrhundertealte Überlieferungen und erklären sich nicht mehr von selbst. Wie Bernstein, in dem manch prähistorisches Insekt überdauert hat, enthalten sie in Vergessenheit geratene Wörter, Formen und Bedeutungen. Und manchmal sogar einen alten Genitiv.

Gerade saß ich an meinem Schreibtisch und grübelte über ein neues Thema für meine Kolumne nach, da traf eine E-Mail mit einer Frage ein. Ein Leser wollte wissen, was es mit der Redensart »Ehe man sich’s versieht« auf sich habe: Was habe das Pronomen »es« darin zu suchen? Könne man sich nicht auch ohne »es« versehen?

Wenn das keine glückliche Fügung war: Eben noch wusste ich nicht, worüber ich als Nächstes schreiben sollte, und ehe ich mich’s versah, hatte ich ein Thema gefunden.
Selbstverständlich könne man sich auch ohne »es« versehen, antwortete ich dem Leser, und zwar immer, wenn man nicht richtig hingesehen und folglich einen Fehler begangen habe. Doch das sei in der Wendung »ehe man sich’s versieht« nicht gemeint, denn dabei gehe es nicht um ein Versehen im Sinne eines Irrtums.

Tatsächlich hat das Verb »versehen« nicht weniger als vier verschiedene Bedeutungen: Zum einen steht es für »ausüben« (seinen Dienst versehen), zum anderen für »ausstatten« (einen Zettel mit einer Nummer versehen). Als rückbezügliches Verb »sich versehen« hat es außerdem die Bedeutung »sich irren«, »sich vertun«. So wird es heute am häufigsten gebraucht.

Bei der Redensart »ehe man sich's versieht« trifft jedoch keine der genannten Bedeutungen zu. Hier hat »sich versehen« eine weitere, vierte Bedeutung, die inzwischen veraltet ist, nämlich »mit etwas rechnen«, »etwas erwarten«. Und in dieser Bedeutung führte »sich versehen« stets ein Genitivobjekt mit sich:
»Er versieht sich keiner Gefahr« bedeutete »Er rechnet mit keiner Gefahr«; »Sie versah sich des Ärgsten« bedeutete »Sie war aufs Schlimmste gefasst«.
In Theodor Fontanes Roman »Frau Jenny Treibel« (1892) wird sich über den Kommerzienrat Treibel beklagt, »von dem wir uns eines Besseren versehen hätten«, sprich: von dem man Besseres erwartet hätte.
Man versah sich also immer eines Genitivobjekts, wenn man »sich versehen« im Sinne von »erwarten« gebrauchte. Und ein solches Genitivobjekt ist das apostrophierte »es« in »ehe man sich's versieht«.
Das »es« steht hier verkürzend für »dessen« oder »einer Sache«. Ließe man es weg, beraubte man das Verb seines Objekts – und damit seiner alten Bedeutung »mit etwas rechnen«. Was man hingegen weglassen kann, ist der Apostroph: Seit der Rechtschreibreform kann man »sichs« auch einfach zusammenschreiben. Wer aber »sich's« für besser lesbar hält, dem steht es frei, beim Apostroph zu bleiben.

Die Wendung »ehe man sich's versieht« ist also ein Überbleibsel aus einer vergangenen Zeit, die letzte Form, in der »sich versehen« in seiner fast vergessenen vierten Bedeutung anzutreffen ist. Und das auch nur, weil die Worte zu einer feststehenden Redensart geworden sind und gewissermaßen tiefgefroren die Zeit überdauert haben. Darum kann man sie auch nicht einfach wieder auftauen und verändern und zum Beispiel das »'s« wieder zu »es« machen: »ehe man sich es versieht« wäre jedenfalls sehr ungewöhnlich.

Und dann bliebe noch die Frage, ob das »es« überhaupt an der richtigen Stelle steht. Denn mit seiner Position hat es noch eine besondere Bewandtnis.

Wenn man das »es« in einem Satz wie »Da lässt es sich gut leben« apostrophiert, verändert es seine Position und wandert hinter das »sich«: »Da lässt sich's gut leben«. So lässt sich's nämlich besser sprechen. Beim Versuch, »Da lässt's sich gut leben« auszusprechen, stoßen zwei S-Laute aufeinander, sodass man unwillkürlich zischt wie eine Dampflok. Darum hat sich hier in der Umgangssprache schon vor geraumer Zeit ein Stellungswechsel eingebürgert.
Dieser Wechsel findet immer statt, wenn ein Reflexivpronomen im Spiel ist. Die Erkenntnis »Man kann es sich nicht immer aussuchen« wird zu »Man kann sich's nicht immer aussuchen« – und nicht zu »Man kann's sich nicht immer aussuchen«. Die Essenz von Essig mag extrem sauer sein, aber die Essenz von »es sich« ist einfach nur »sich's«.

Obwohl das apostrophierte »'s« vor »mich« und »dich« bei der Aussprache keine Schwierigkeiten bereiten würde, wechselt es auch in diesen Fällen seine Position und wird zu »mich's« und »dich's«. Das ist nicht jedem klar, denn wenn man »ich's mich« und »ich mich's« googelt, werden einem für das Zweite 12.300, für das Erste aber immerhin 7400 Fundstellen angezeigt, also mehr als die Hälfte.

Die Frage, wie »ehe man sich's versieht« korrekt konjugiert wird, kann einen leicht in die Irre führen, und ehe man sich's versieht, hat man sich versehen.

Verhofft kommt nicht so oft

Unvernunft begegnet man mit Vernunft, Unhöflichkeit mit Höflichkeit. Doch wie begegnet man Unverfrorenheit und Unverblümtheit? Mit Verfrorenheit und Verblümtheit? Von einer ganzen Reihe von Un-Wörtern scheinen uns die dazugehörigen Wörter zu fehlen.

Es gibt Tage, an denen bin ich ziemlich unwirsch, ohne zu wissen, woher das eigentlich kommt und was das zu bedeuten hat. Das ist natürlich kein Zustand. Also habe ich recherchiert, woher das Wort »unwirsch« kommt und was es genau bedeutet. Ich fand heraus, dass »unwirsch« die Bedeutung »mürrisch, griesgrämig« hat und dass es auf »unwirde« zurückgeht, ein altes Wort für »unwert« im Sinne von »verächtlich«. Unwirsch zu sein ist also nicht unbedingt erstrebenswert. Da bin ich doch lieber das Gegenteil. Doch wie lautet das Gegenteil von »unwirsch«? Ist es »wirsch«? Das Wort »wirsch« gibt es, doch es hat mit »unwirsch« nichts zu tun. Es kommt von »wirr« und bedeutet »grob«, »schroff«, »verärgert« oder »zornig«. »Wirsch« ist also keinen Deut besser als »unwirsch«. Und während ich im Wörterbuch blätterte, fiel mir auf, dass »unwirsch« beileibe nicht das einzige Wort mit der negativen Vorsilbe »un-« ist, dem das positive Pendant entweder nicht passen will oder das gar keines hat.

In einigen Fällen mit »un-« ist das Grundwort früh verschwunden, so wie bei »ungestüm«, zu dem es im Mittelhochdeutschen noch das Gegenstück »gestüeme« in der Bedeutung »ruhig«, »sanft« gab. Vom althochdeutschen Wort »flāt«, das Sauberkeit bedeutete, ist uns nur noch der »Unflat« geblieben. Und als Gegensatz zu »Ungeziefer« gab es einst das »Geziefer«, das »Opfertier« bedeutete. Alle

Tiere, die es nicht wert waren, geopfert zu werden, waren folglich Ungeziefer. Weil das Opfern von Tieren mit zunehmender Ausbreitung des Christentums zurückging, wurde das Wort Geziefer irgendwann nicht länger gebraucht und verschwand. Das Ungeziefer hingegen ist bis heute geblieben.

In anderen Fällen mit »un-« hat das Grundwort nie allein existiert. Im Wörterbuch stehen der Unhold und das Ungetüm, doch nach dem Hold und dem Getüm sucht man vergebens. Zwar gibt es das Adjektiv »hold« und die »Holdseligkeit«, doch vom guten, braven Hold fehlt jede Spur. Kein Wunder, denn einen Hold ohne »un-« hat es nie gegeben, ebenso wenig ein »un«-loses Getüm.
Unzähligen »un«-Wörtern fehlt die positive Grundform, und »unzählig« zählt selbst dazu, denn von »zähligen Wörtern« hat man noch nie gehört. Es gibt »unausweichlich«, aber nicht »ausweichlich« – außer in Texten, in denen es mit der Präposition »ausweislich« verwechselt wurde. Es gibt »unbändig«, aber nicht »bändig«. Der Mensch hat Dinge erfunden, die »unverwüstlich« sind, aber keine, die »verwüstlich« wären. Man kennt »unglaubliche« Geschichten, aber keine »glaublichen«. Und man kann sich noch so gut benehmen und wird doch nie für seine »gehobelten Manieren« gelobt.

Auch die Wörter »ersättlich«, »verbrüchlich« und »verhofft« gibt es nur als Negativ. »Unverhofft kommt oft«, lautet eine Redewendung. »Verhofft« hingegen kommt nicht so oft, was daran liegt, dass es nicht existiert.*
Auch bei »gefähr« führt die Suche ins Nichts, was daran liegt, dass »ungefähr« gar kein echtes »un«-Wort ist. Es ent-

* Die Jägersprache kennt das Verb »verhoffen«, das »horchen«, »Witterung aufnehmen« bedeutet. Mit »unverhofft« hat es nichts zu tun

stand nämlich aus den Wörtern *ane gevaere*, »ohne Gefahr«, und bedeutete in der mittelalterlichen Rechtssprache so viel wie »ohne böse Absicht«. Zahlen und Maße wurden vor Gericht stets mit dem Zusatz »ohne Gefahr« angegeben, um zu versichern, dass eventuelle Ungenauigkeiten »ohne böse Absicht« gewesen seien.

Mein Freund Henry ist jemand, der sich mit fehlenden Wörtern nicht zufriedengibt. »Zu jedem Unding gibt es auch ein Ding«, sagte er, »und wenn es nicht im Duden steht, dann muss man es halt erfinden. Das ist förderlich für die innere Ausgeglichenheit. Wenn du den einen Tag unpässlich bist, dann bist du am anderen eben wieder pässlich.« – »Und wenn mir jemand zu unbedarft ist, stelle ich ihn mir bedarft vor«, sagte ich. »Genau. Was du nicht unverblümt sagen magst, das sagst du eben verblümt. Und wenn du mit unverfrorenen* Forderungen konfrontiert wirst, änderst du sie in verfrorene.« Ein liebsames Prinzip, mit dem man sägliches Vergnügen haben kann. Zwar bringt es nichts, statt unwirsch wirsch zu sein, doch macht es Spaß, in jedem Menschen, der kein Unhold ist, einen Hold zu sehen und in jedem Unfug auch den darin verborgenen Fug.

Zu guter Letzt gibt es »un«-Wörter, die zwar ein Positiv besitzen, welches aber im Laufe der Zeit eine andere Bedeutung angenommen hat, sodass es nur noch dem Anschein nach einen Gegensatz ausdrückt. Das ist zum Beispiel bei »ungemein« und »gemein« der Fall oder bei »unscheinbar« und »scheinbar«. Das Gegenteil von »ungemeiner Freude« ist jedenfalls nicht »gemeine Freude«, und das Gegenteil eines »unscheinbaren Weibchens« ist kein »scheinbares Weibchen«.

* unverfroren = volksetymologische Umbildung des nicht mehr verstandenen niederdeutschen »unverfehrt« = »unerschrocken«

Anlässlich des Deutschlandbesuchs von Königin Elisabeth II. schenkte ich Henry eine ziemlich geschmacklose Winkefigur, auf die er sehr verhalten reagierte. »Was ist los?«, fragte ich. »Gefällt sie dir nicht? Sibylle habe ich auch so eine geschenkt, die hat sich unheimlich gefreut!« Henry erwiderte: »Ich freue mich lieber heimlich.«

Zu Unsummen, Unkosten, Unmengen und Untiefe:
»Nein, zweimal nein« (»Dativ«-Band 3)

Mehr zum Thema Vorsilben:
»Verehren, verachten vergönnen, verzeih'n«
(»Dativ«-Band 5)
»Bitte verbringen Sie mich zum Flughafen«
(»Dativ«-Band 3)

Das unbeugsame »ein«

Wird »ein und dasselbe« im Dativ zu »einem und demselben«? Sollte man wirklich nur »ein bis zwei Tage« warten und nicht besser »einen bis zwei Tage«? Kann man »dem ein und andern« vertrauen, oder müsste es nicht »dem einen und anderen« heißen? Erfahren Sie alles über ein eigenwilliges »ein«, das sich partout nicht beugen will.

Das ein oder andere Mal schon wurde ich gefragt, ob man das »ein« in »ein und dasselbe« nicht beugen müsse. Und ein ums andere Mal lautete die Antwort: Nein, das »ein« wird nicht gebeugt.
Ob man an »ein und denselben Tag« denkt, für »ein und dieselbe Person« gehalten wird oder sich an »ein und demselben Ort« aufhält – »ein« bleibt stets unveränderlich.

Es gibt eine Handvoll feststehender Wendungen mit dem Zahlwort »ein«, bei denen »ein« sich als unbeugsam erweist.

Die Sprachwissenschaft nennt es »indeklinabel«. Das klingt wie »indiskutabel« oder »inakzeptabel«, und das trifft es auch, denn das »ein« lässt in diesen Fällen nicht mit sich diskutieren und ist nicht willens, die üblichen Regeln zu akzeptieren. Statt in die Knie zu gehen und sich zu beugen, bietet es der Grammatik trotzig die Stirn.

Zum Beispiel in »das ein oder andere Mal« oder in »ein ums andere Mal« und erst recht in »ein für alle Mal«. Jedes Mal zeigt sich das »ein« von seiner unbeugsamen Seite.

In anderen Fällen hat sich parallel zur erstarrten Form auch eine gebeugte entwickelt, sodass uns zwei mögliche Formen zur Auswahl stehen: Man kann »die ein oder andere Gelegenheit« wahrnehmen oder »die eine oder andere Gelegenheit«. Man kann »mit dem ein oder anderen Gast« plaudern oder »mit dem einen oder anderen Gast«. Hier gibt es kein Richtig oder Falsch, sondern allenfalls eine unterschiedliche Empfindung. Die ungebeugte Form wird als abstrakter empfunden; die gebeugte als konkreter.

Steht »ein« vor einer Maßangabe, ist es jedoch keinesfalls unbeugsam. Das Baden »in ein Liter Wasser« ist genauso unbefriedigend wie der Fallschirmsprung »aus ein Meter Höhe«. Wenn »ein« die alleinige Zahlenangabe ist, wird es gebeugt. Man badet folglich »in einem Liter Wasser« und springt »aus einem Meter Höhe«.
Doch wenn sich zu »ein« ein zweites Zahlwort (zum Beispiel »zwei«) gesellt, so wie in »ein bis zwei Meter«, dann ändert sich die Situation: Das Gezählte steht plötzlich im Plural, und das bringt »ein« in eine unangenehme Lage, denn wie soll es sich vor einem Mehrzahlwort sinnvoll beugen? Also greift es zu einem alten Trick aus der Natur und stellt sich starr.

Aus einem Tag »mit ein, zwei Schauern« muss also kein Tag mit »einem, zwei Schauern« werden, das klänge ungewohnt, wenn nicht gar »schauerhaft«.
Wohnungen »für ein bis zwei Personen« entsprechen genauso dem sprachlichen Standard wie Familien »mit ein oder zwei Kindern«.
Wer Wohnungen »für eine bis zwei Personen« und Familien »mit einem oder zwei Kindern« bevorzugt, gilt als »hyperkorrekt«, und das ist nicht als Kompliment aufzufassen, denn »hyper« bedeutet in diesem Fall »des Guten zu viel«.

Wir alle kennen die »Märchen aus tausendundeiner Nacht« und haben uns vielleicht schon mal gefragt, warum es bei einer so hohen Zahl von über tausend nicht »Nächte« heißt. Die Änderung des Titels in einen Plural wäre kulturgeschichtlich zwar ein Sakrileg, grammatisch aber keinesfalls undenkbar. Verwandeln wir die Nacht also in Nächte. Und – Simsalabim – haben wir wieder das Problem, dass »ein« vor einem Mehrzahlwort steht, wo es sich nicht beugen lässt. Weder kann es »Märchen aus tausendundeiner Nächten« heißen noch »Märchen aus tausendundeinen Nächten«. Viele würden vielleicht denken, es müsse »Märchen aus tausendundeins Nächten« heißen. Doch die Lösung liegt in der Unbeugsamkeit. Die richtige Antwort lautet: »Märchen aus tausendundein Nächten«.
Und was für tausend gilt, gilt natürlich auch für hundert: »Hundertundein Dalmatiner« lautet der Titel eines berühmten Zeichentrickfilms von Walt Disney, nicht »Hunderteins Dalmatiner«, wie oft vermutet wird, weil die Zahl im Filmtitel nicht ausgeschrieben, sondern mit Ziffern wiedergegeben wird. Auf dem Umschlag der Buchvorlage kann man sie noch ausgeschrieben lesen: Die deutsche Übersetzung des Romans »The Hundred and One Dalmatians« von

Dodie Smith erschien 1958 unter dem Titel »Hundertundein Dalmatiner« im Süddeutschen Verlag.

Das »und« kann übrigens getrost wegfallen: Ob »hundertein« oder »hundertundein« spielt keine Rolle. Doch es spielt
eine große Rolle, ob das Zahlwort »hundertein« oder das
Zählwort »hunderteins« gefragt ist. Der Unterschied ist genauso groß wie zwischen »ein« und »eins«: »hunderteins
Dalmatiner« sind im Hunderterbereich das, was im Einer-
bereich »eins Dalmatiner« oder »eins Hund« wären – nämlich unkorrektes Deutsch.

Das Wissen um das unbeugsame »ein« geht jedoch verloren, die überwältigende Mehrzahl hält »hunderteins Dalmatiner« heute für korrekt. Irgendwann wird der letzte der
»hundertein« sagenden Dalmatinerfreunde verschwunden
sein, und der Duden wird »hunderteins Dalmatiner« für
korrekt erklären. Vielleicht wird sich das unbeugsame »ein«
eines Tages geschlagen geben müssen und sich dem Willen der Beugungswilligen beugen. Von diesem Tage an wird
meine Sprache nicht mehr mein ein und alles sein, sondern
mein eins und alles.

Etw. z. Th. Abk.

Das Kürzel i. A. steht u. a. für »im Auftrag«, und a. M. steht für alles Mögliche, nur nicht für »alles Mögliche«. Ein Dp.-Z. ist kein Diplom-Zahnarzt, und etwas, das in Ordnung ist, ist möglicherweise OK, vielleicht aber auch o. k., O. K. oder ok? Die Sache mit den Abkürzungen ist ebenso kompl. wie kompl.*!

Die Sprache ist stets um Ausgleich bemüht. Auf der einen Seite bläht sie sich auf, sodass unaussprechliche Gebilde wie Unfallverhütungsvorschrift, Aufmerksamkeitsdefizitsyndrom und Beitragsbemessungsgrundlage entstehen, auf der anderen neigt sie zu ständiger Verkürzung, bis nur noch UV, ADS und Beitr.-Bem.-Gr. übrig bleiben.

Abkürzungen haben etwas Verführerisches, weil man nie ganz sicher sein kann, was genau sich dahinter verbirgt. Die Abkürzung »Begr.« kann ebenso für »Begrüßung« stehen wie auch für »Begründung«. Außerdem für Begrenzung, Begradigung, Begriff und Begräbnis. Aufgrund der mannigfaltigen Deutungsmöglichkeiten ist sie eigentlich nicht sehr hilfreich.
Manchmal verwende ich in Schriftsachen das höchst formell wirkende Wort »gegebenenfalls«. Auch dafür existiert eine Abkürzung, doch ich muss mich jedes Mal vergewissern, wie sie genau lautet: ggs., ggf. oder gfs.? Das Nachschlagen kostet mich mehr Zeit, als die Abkürzung jemals einsparen könnte.

Abkürzungen sind ursprünglich geschaffen worden, um Platz zu sparen. Schon die alten Römer kannten schrift-

* kompl. = nicht offizielle Abkürzung für »komplex« und »kompliziert«

liche Abkürzungen, was für den Beruf des Steinmetzen eine große Entlastung darstellte. Eine der berühmtesten Abkürzungen, dank Asterix noch heute vielen bekannt, ist S.P.Q.R. Das steht für Senatus Populusque Romanus, zu Deutsch »Senat und Volk von Rom«.

Das Römische Reich ist untergegangen und nach ihm noch etliche andere Reiche. Heute wird unsere Kultur von einem Reich beeinflusst, das größer ist als jedes Reich zuvor: das Internet. Mit dem Internet kamen E-Mail, Chat und Twitter und eine unüberschaubare Zahl neuer Abkürzungen.

Seit Felix, der Sohn meiner Freundin Alexandra, ein Handy besitzt, kommunizieren wir regelmäßig per SMS. Während ich mich dabei stets um genaue Groß- und Kleinschreibung und korrekte Zeichensetzung bemühe, scheint Felix vor allem an Abkürzungen interessiert. »Warum unterschreibst du deine SMS mit BB?«, fragte ich ihn mal. »Ist das ein Spitzname von dir, den ich noch nicht kenne? *Böser Bube* oder so was?« Felix lachte: »Quatsch! BB steht für *byebye!* Oder für *bis bald*!« Ich kann mich noch an Zeiten erinnern, in denen BB für etwas ganz anderes stand, nämlich für die französische Schauspielerin Brigitte Bardot. Niemandem wäre damals eingefallen, diese beiden Buchstaben als etwas weniger Erhabenes zu deuten; ausgenommen vielleicht die Einwohner des Kreises Böblingen und einige Mitglieder des Bayerischen Bauernbundes. Aber die Zeiten ändern sich: Brigitte Bardot geriet in Vergessenheit, und die Fernsehsendung »Big Brother« gab den Buchstaben BB eine neue Bedeutung.

Heute sind es die zahlreichen Formen der elektronischen Kommunikation, die das Repertoire der gängigen Abkürzungen ständig erweitern und verändern. Die Kürzel »LOL«

(laughing out loud, zu Deutsch: lautes Lachen, oder auch »Lautlach«) und »CU« (see you, zu Deutsch: »Man sieht sich«) zählen inzwischen schon zu den Klassikern. Ebenso das lässige »Thx«, das für »Thanks«, also »Danke«, steht.

»Wie kürzt man Betriebssystem ab?«, wurde ich mal gefragt. »Betr.-Sys.? Besy? Oder einfach BS?« Wie so vieles im Leben sind Abkürzungen eine Frage der Absprache. Wenn es sich nicht um eine Standardabkürzung handelt, die man als bekannt voraussetzen kann, empfiehlt es sich, eine Abkürzung erst einmal in Klammern einzuführen:

> *Ich brauche ein neues Betriebssystem (BS). Mein bisheriges scheint veraltet. Welches aktuelle BS würdest du mir empfehlen?*

Für welche Abkürzung man sich dabei entscheidet, ist eigentlich egal, solange man der einmal gewählten Form treu bleibt.

Abkürzungen sind auch nichts anderes als Wörter. Man kann sie sprechen, schreiben, verwechseln und missverstehen. Manchmal braucht man Fantasie , um sie zu entschlüsseln. Zu meiner Schulzeit erfreute sich eine Abkürzung besonderer Beliebtheit. Sie bestand aus nicht weniger als sieben Zeichen und war somit die längste Abkürzung, die wir je gehört hatten. Sie lautete: D. b. d. d. h. k. P. Wer sie zum ersten Mal hörte, stand vor einem Rätsel, und das Kichern der Mitschüler machte ihn nur neugieriger. Groß war die Überraschung, als man erfuhr, wofür die Buchstaben standen: »Doof bleibt doof, da helfen keine Pillen.«
Von solchen scherzhaften Beispielen abgesehen, wurden Abkürzungen damals noch mit großem Respekt behandelt und ehrfürchtig bestaunt. Viele Deutsche beschäftigte dic

Frage, ob das Kurzwort »Hi-Fi« nun »Hie Vieh«, »Hai Vieh« oder »Hai Fei« ausgesprochen wurde. Abkürzungen standen für das Moderne, Fortschrittliche.

Diesen Glauben wusste auch die Werbung für sich zu nutzen. Angehörige meiner Generation werden sich noch an den Waschmittel-Spot der Marke Omo erinnern, in dem von einem TAED-System die Rede war. Niemand wusste, wofür diese Abkürzung stand, aber sie klang faszinierend und dürfte zweifellos zu einer gesteigerten Nachfrage geführt haben. Laut Lexikon ist TAED die Abkürzung für Tetraacetylethylendiamin, einen Bleichmittelzusatz. Vielleicht bedeutete sie aber auch »Tauscht alle euer Dash!«

Eine der am häufigsten benutzten Abkürzungen stammt aus dem Englischen und steht für »alles in Ordnung«. Man findet sie in den unterschiedlichsten Schreibweisen: klein und groß, mal mit, mal ohne Punkte, mit Leerzeichen oder auch nicht: o. k., O. K., ok, OK, ok., OK. – welche davon ist korrekt? Den meisten ist dies vermutlich egal, mir natürlich nicht.

Auch für Abkürzungen gibt es Regeln. Da wäre zunächst einmal die Sache mit dem Punkt: Wann werden Abkürzungen mit einem Punkt versehen und wann nicht?

Eine Abkürzung bekommt immer dann einen Punkt, wenn sie nur geschrieben, nicht aber gesprochen wird.
Bekannte Beispiele dafür sind Abs. (Absender), bzw. (beziehungsweise), Nr. (Nummer), Prof. (Professor), u. (und), u. a. (unter anderem), u. A. w. g. (um Antwort wird gebeten) und v. l. n. r. (von links nach rechts).

In der Verwaltung, dem Post-, Bahn- und Militärwesen wird bei fachlichen Abkürzungen auf den Punkt verzichtet: Hbf (Hauptbahnhof), StUffz (Stabsunteroffizier), OStR (Oberstudienrat), StBGebV (Steuerberatergebührenverordnung). Das entspricht aber nicht der Norm. Laut Duden wird »Hauptbahnhof« zu »Hbf.« mit Punkt verkürzt.

Früher wurden noch sehr viel mehr Punkte gesetzt als heute. In älteren Atlanten findet man die UdSSR noch umständlich als U. d. S. S. R. verzeichnet. Auch die Vereinigten Staaten von Amerika wurden bis in die 60er-Jahre noch mit V. St. v. A. abgekürzt. Da die Union der Sozialistischen Sowjetrepubliken nicht mehr existiert und die Vereinigten Staaten von Amerika bei uns nur noch USA heißen, hat sich die Frage mit den Punkten in diesen beiden Fällen erledigt. Das gilt auch für andere Beispiele. Die Dreiwortfolge »und so weiter« wurde früher »u. s. w.« abgekürzt, heute meistens nur noch »usw.«.

Ein berühmtes Beispiel für die Abkehr von den Punkten stammt aus der Politik: Die FDP schrieb sich bis zum Jahr 2001 »F. D. P.« und wurde deswegen bisweilen als »Partei mit den Pünktchen« verspottet. Im Zuge einer optischen Modernisierung verzichteten die Liberalen auf die Abkürzungspunkte. Damit warfen sie zwar ein Stück Tradition über Bord, passten sich aber den Erfordernissen des Internets an: Die Adresse www.f.d.p.de hätte nicht funktioniert.

Da Briefe und Pakete heute kaum noch mit den Adresszusätzen »Herrn« oder »Frau« versehen werden, sind auch die Kürzel »Hr.« und »Fr.« seltener geworden. Aber wer sich ihrer noch bedient, sollte dies mit Punkten tun. Und auch der abgekürzte Professor (Prof.) und der Doktor (Dr.) haben nach wie vor ein Anrecht auf einen Punkt. Wie hinter jedem

Punkt folgt auch hinter einem Abkürzungspunkt immer ein Leerzeichen: Daher schreibt man »i. A.« und »z. B.« mit einer Lücke und nicht »i.A.« und »z.B.«

Sind Dinge, die in Ordnung sind, nun o. k. oder O.K.? Der Duden lässt beide Formen gelten, solange sie mit Punkt und Leerzeichen versehen sind. Demnach sind »ok« oder »OK« nicht in Ordnung – jedenfalls noch nicht. Denn die Chatter, Twitterer und Simser dieser Welt werden es sich nicht nehmen lassen, weiterhin zeit- und platzsparend »ok« oder »OK« zu schreiben. Und da sich unsere Schreibgewohnheiten immer stärker an der elektronischen Kommunikation ausrichten, werden Abkürzungspunkte irgendwann vielleicht gänzlich aus der Mode kommen.

Die Abkürzung des Wortes »Personenkraftwagen« wird »Pkw« geschrieben. Und »Lastkraftwagen« wird entsprechend zu »Lkw« verkürzt. Man kann diese beiden auch in Versalien schreiben, als »PKW« und »LKW«. Beim »Kraftfahrzeug« hingegen lassen die Regelwerke nur die Abkürzung »Kfz« zu. Als großbuchstabiertes »KFZ« erhält es vom Duden oder Wahrig keine Zulassung.

Manche Wörter entwickeln in der abgekürzten Form ein Eigenleben, das sich von dem des ausgeschriebenen Wortes unterscheidet: Die Mehrzahl von Lastwagen lautet Lastwagen (süddeutsch auch: Lastwägen), als Mehrzahl von Lkw oder LKW sind hingegen auch die Formen Lkws oder LKWs möglich.

Einige Abkürzungen lassen sich wie Wörter sprechen, und es gibt im Deutschen die natürliche Tendenz, solche Abkürzungen wie Wörter zu schreiben: Bafög statt BAföG, Dax statt DAX, Ufo statt UFO, Zob statt ZOB.

Die Abkürzungen ADAC und USA werden Buchstabe für Buchstabe gesprochen und daher in Großbuchstaben geschrieben. Doch Abkürzungen wie Nato und Unesco werden nicht »En, A, Te, O« und »U, EN, E, Es, Ce, O« gesprochen und können daher wie Namenwörter geschrieben werden. Das gilt auch für die Nasa, die Uno und die Opec, auch wenn sich diese Organisationen selbst stets in Versalien schreiben.

So wie Wörter können auch Abkürzungen aus der Mode geraten, weil das, wofür sie stehen, an Bedeutung verliert oder gar nicht mehr existiert. Einige jüngere Menschen wissen heute schon nicht mehr, wofür die Kürzel LP und MC stehen, da Langspielplatten und Musikkassetten nur noch wenig verbreitet sind. Ganz zu schweigen von VHS, das neben »Volkshochschule« auch »Video Home System« bedeutet, was von 1976 bis 2006 das kommerziell erfolgreichste Videoformat war.

Beim Versuch, das englische Wort »Computer« ins Deutsche zu übersetzen, entstand ein Monstrum: Die »elektronische Datenverarbeitung« war zu umständlich, zu bürokratisch, zu lang, um in der Alltagssprache überleben zu können. Doch zur EDV verkürzt, hat sie sich bis heute gehalten.

Manche Abkürzungen verschwinden, um mit neuer Bedeutung gefüllt ein paar Generationen später wieder aufzutauchen. So wie AB, das mal die offizielle Abkürzung für das Wort »Abort« war und den Menschen den Weg zum Stillen Örtchen wies. Langfristig hatte der AB gegen das WC keine Chance. In den 70er-Jahren tauchte er jedoch erneut auf – als Abkürzung für das Wort »Anrufbeantworter«. Der Anrufbeantworter heißt inzwischen Mailbox, Voicemail oder

Mobilbox, und so dürfte das Kürzel AB abermals dem Untergang geweiht sein.

Lange bevor es einen Short Message Service gab, standen die Buchstaben SMS für etwas ganz anderes, nämlich für »Seiner Majestät Schiff« und waren den Namen der Schiffe der kaiserlichen Flotte vorangestellt, das allerdings in der Regel mit Punkten: »S. M. S.«.

Es gab einmal einen Lehrer, der gelegentlich unter eine korrigierte Klassenarbeit die Abkürzung »o. K.« zu setzen pflegte. Das freute die Schüler, denn sie glaubten, es sei »alles in Ordnung«. Für den Lehrer war die Arbeit indes alles andere als in Ordnung, denn mit »o. K.« meinte er »ohne Kommentar«.

Besonderes Vergnügen bereitet es, wenn einer bekannten Abkürzung eine neue Bedeutung zugesprochen wird. So verriet mir eine Fernsehredakteurin einmal, wofür die Kürzel der Rundfunkanstalten wirklich stehen: ZDF könne wahlweise »Zuerst das Formular« oder auch »Zentrale der Finsternis« bedeuten, NDR stehe für »Nur die Ruhe«, SWR für »Seniorenwohnresidenz«, und hinter den Buchstaben ARD verberge sich die »Agentur für Rentnerdienstleistungen«. So weit, so böse.

Eine im Volkshumor sehr verbreitete Disziplin ist die »Entschlüsselung« bekannter Automarken. Kenner wissen, was »Golf« bedeutet, nämlich »Ganz ohne Luxus fahren«. Opel steht für »Offensichtlicher Pfusch eines Lehrlings«, und BMW bedeutet »Bei Mercedes weggeworfen«. Besonders dankbare Opfer sind ausländische Automobilhersteller wie die italienische Marke Fiat: Der Name ist eigentlich ein Akronym von »Fabbrica Italiana Automobili Torino«

(Italienische Automobilfabrik Turin), wird aber gern gedeutet als »Fehler in allen Teilen«, im Englischen auch als »Fix it again, Tony«. Saab aus Schweden wird spöttisch gehandelt als »Sehr alt, aber billig«, Ford als »Für Opa reicht das«, und die spanische Marke Seat inspirierte zu dem Slogan: »Sehen, einsteigen, aussteigen, totlachen.«

Um die Entstehung der Abkürzung »o. k.«, die heute als das bekannteste Wort der Welt gilt, ranken sich zahlreiche Legenden. Der wahrscheinlichsten Erklärung zufolge geht o. k. auf eine im 19. Jahrhundert in den USA aufgekommene Mode zurück, Abkürzungen absichtlich falsch zu schreiben. So wurde »all correct« (= in Ordnung) statt mit »a. c.« mit »o. k.« abgekürzt, als schriebe man es »oll korrekt«.

Dafür, dass es um Abkürzungen ging, ist diese Kolumne ziemlich lang geworden. Für den Rest des Tages nehme ich mir daher frei, denn nach dieser Abhandlung bin ich ziemlich k. o.! Oder K. o.? K. O.? Ka-oh? Sagen wir lieber »erschöpft«.

120 gebräuchliche Abkürzungen und ihre Bedeutungen	
Abk.	Abkürzung
ABM	Arbeitsbeschaffungsmaßnahme
ABS	Antiblockiersystem
Abs.	Absender
a. D.	außer Dienst
A. D.	*lat.* anno domini (= im Jahre des Herrn)
ADAC	Allgemeiner Deutscher Automobilclub
ADHS	Aufmerksamkeitsdefizit-Hyperaktivitätsstörung
AGB	allgemeine Geschäftsbedingungen
aka	*engl.* also known as (= auch bekannt als)
AKW	Atomkraftwerk
allg.	allgemein
B. A.	*engl.* Bachelor of Arts (= Baccalaureus der Künste)
BAföG/Bafög	Bundesausbildungsförderungsgesetz
BCC	*engl.* Blind Carbon Copy (= Blindkopie)
Bd.	Band
betr.	betreffend/betreffs
bezügl./bzgl.	bezüglich
BGB	Bürgerliches Gesetzbuch
BRD	Bundesrepublik Deutschland
B. Sc.	*engl.* Bachelor of Science (= Baccalaureus der Wissenschaft)
bzw.	beziehungsweise
CC	*engl.* Carbon Copy (= Kopie)
CD	*engl.* Compact Disc
CMS	*engl.* Content Management System (= Inhaltsverwaltungssystem)
dergl./dgl.	dergleichen
d. h.	das heißt
Dipl.-Ing.	Diplomingenieur
d. J.	dieses Jahres
Dr./Drs.	Doktor/Doktores
DSL	*engl.* Digital Subscriber Line (= digitale Anschlussleitung)
DVB-T	*engl.* Digital Video Broadcasting – Terrestrial (= digitales, terrestrisches Fernsehen)

120 gebräuchliche Abkürzungen und ihre Bedeutungen	
DVD	*engl.* Digital Versatile Disc, auch: Digital Video Disc
EBK	Einbauküche
EDV	elektronische Datenverarbeitung
EM	Europameisterschaft
ESA	*engl.* European Space Agency (= Europäische Weltraumorganisation)
ESC	Eurovision Song Contest
etc./ etc. pp.	*lat.* et cetera (= und so weiter), perge, perge (= fahre fort, fahre fort) (= und so weiter, und so fort)
etw./ETW	etwas/Eigentumswohnung
EUR	Euro
e. V.	eingetragener Verein
evtl.	eventuell
FAQ	*engl.* Frequently Asked Questions (= häufig gestellte Fragen)
f./ff.	folgende Seite/folgende Seiten
FIFA	*frz.* Fédération Internationale de Football Association (= Weltfußballverband)
Fr.	Frau
FSK	Freiwillige Selbstkontrolle
GAU	Größter anzunehmender Unfall
gem.	gemäß
ggf.	gegebenenfalls
GmbH	Gesellschaft mit beschränkter Haftung
Hbf.	Hauptbahnhof
h. c.	*lat.* honoris causa (ehrenhalber)
Hr./Hrn.	Herr/Herrn
HTML	*engl.* Hypertext Markup Language (= Hypertext-Auszeichnungssprache)
i. A.	im Auftrag
ibd. (auch: ebd.)	*lat.* ibidem (= ebenda)
i. R.	im Ruhestand
ISBN	*engl.* International Standard Book Number (= Internationale Standardbuchnummer)
ISDN	*engl.* Integrated Services Digital Network (= Dienste integrierendes digitales Netz)

120 gebräuchliche Abkürzungen und ihre Bedeutungen	
i.V.	in Vertretung
jun.	junior (= der Jüngere)
Kfz	Kraftfahrzeug
k.o./K.o.	*engl.* knock-out (= aus dem Boxsport: nach dem Niederschlag kampfunfähig und besiegt)
lfd. Nr.	laufende Nummer
Lkw	Lastkraftwagen
M.A.	*lat.* Magister Artium und *engl.* Master of Arts
m.E.	meines Erachtens
MRT	Magnetresonanztomografie
MS	Motorschiff
M.Sc.	*engl.* Master of Science (akademischer Grad)
MTA	medizinisch-technischer Assistent
Nasa	*engl.* National Aeronautics and Space Administration (= Luft- und Raumfahrtbehörde der USA)
Nato	*engl.* North Atlantic Treaty Organization (= Nordatlantischer Verteidigungspakt)
n.Chr.	nach Christus (nach Christi Geburt)
Nr.	Nummer
o.Ä.	oder Ähnliches
OG	Obergeschoss
o.k./O.K.	*engl.* all correct = (alles) in Ordnung
OP	Operation
Opec	Organization of the Petroleum Exporting Countries (= Organisation der Erdöl exportierenden Länder)
p.a.	pro anno (= jährlich/aufs Jahr gerechnet)
PC	*engl.* Personal Computer
PET	1. Polyethylenterephthalat (Kunststoff), 2. Positronen-Emissions-Tomografie
Pkw	Personenkraftwagen
PS	Postskriptum
SB	Selbstbedienung
S-Bahn	Schnellbahn
sen.	senior (= der Ältere)
SMS	*engl.* Short Message Service (= Kurznachricht)

120 gebräuchliche Abkürzungen und ihre Bedeutungen	
s. o.	siehe oben
SOS	*engl.* Save our souls (= internationaler Seenotruf)
StVO	Straßenverkehrsordnung
SUV	*engl.* Sport Utility Vehicle (Geländewagen)
Tel.	Telefon
TÜV	Technischer Überwachungsverein
u. a.	und andere(s) / unter anderem
u. A. w. g.	um Antwort wird gebeten
U-Bahn	Untergrundbahn
ü. d. M.	über dem Meeresspiegel
Ufo	unbekanntes Flugobjekt
ugs.	umgangssprachlich
UKW	Ultrakurzwelle
UMTS	*engl.* Universal Mobile Telecommunication System (=Mobilfunkstandard mit direktem Zugang zum Internet)
UN/Uno	*engl.* United Nations (Vereinte Nationen)/*engl.* United Nations Organization
URL	*engl.* Uniform Resource Locator (einheitlicher Quellenanzeiger)
USA	*engl.* United States of America (= Vereinigte Staaten von Amerika)
usw.	und so weiter
v. Chr.	vor Christus (vor Christi Geburt)
vgl.	vergleiche
VHS	1. *engl.* Video Home System (= Videosystem für zu Hause) 2. Volkshochschule
VOD	*engl.* Video on demand (= Film auf Abruf)
WC	*engl.* Water Closet (= Wasserklosett, Toilette)
WLAN	*engl.* Wireless Local Area Network (= drahtloses lokales Netzwerk)
WM	Weltmeisterschaft
z. B.	zum Beispiel
z. Hd./z. H.	zu Händen, zuhanden
ZOB	Zentraler Omnibusbahnhof
z. T.	zum Teil
zzgl.	zuzüglich

Die unglaubliche Geschichte der total verrückten Filmtitel

Es gab eine Zeit, in der durch freie Übersetzung die bemerkenswertesten Filmtitel entstanden – kraftvoll und poetisch die einen, aberwitzig und haarsträubend die anderen. Diese Kultur geht langsam verloren, denn kaum ein Filmverleiher macht sich heute noch die Mühe, englische Filmtitel zu übersetzen. Und wenn, dann verpasst er dem Film einen anderen englischen Titel.

Am Wochenende legte ich mal wieder »Die Flüchtigen« in meinen DVD-Spieler, eine französische Komödie aus dem Jahr 1986 mit Pierre Richard und Gérard Depardieu. Einigen dürfte dieser Film noch unter einem anderen Titel bekannt sein, denn als ich ihn vor mehr als 20 Jahren zum ersten Mal im deutschen Fernsehen sah, hieß er noch »Zwei irre Typen auf der Flucht«. Erst später hat man ihm die wörtliche Übersetzung des Originaltitels »Les fugitifs« verpasst, als das Zeitalter der »durchgeknallten und total verrückten« deutschen Filmtitel endgültig vorbei war. Und was war das für eine Zeit! Da wurden mannigfaltige Kracher gezündet, die einem noch heute die Haare zu Berge stehen lassen.

Einige dieser Übersetzungen sind geradezu legendär: Die amerikanische Komödie »Stripes« (1981) mit Bill Murray wurde bei uns unter dem wegweisenden Titel »Ich glaub, mich knutscht ein Elch!« bekannt. Die Komödie »Airplane!« (1980), eine Parodie auf die erfolgreichen »Airport«-Filme der 70er-Jahre, hieß auf Deutsch »Die unglaubliche Reise in einem verrückten Flugzeug«. Nicht ganz so knapp wie der Originaltitel, dafür umso unglaublicher und verrückter. Unglaublich und verrückt ging es auch in der Komödie mit Bette Midler und Danny DeVito aus dem Jahr 1986 zu: Aus

»Ruthless People« (wörtlich: »Skrupellose Leute«) wurde im Deutschen »Die unglaubliche Entführung der verrückten Mrs. Stone«. Eine andere beispielhaft übersetzte Komödie mit Bette Midler ist »Outrageous Fortune« (1987). Der Titel basiert auf einem Shakespeare-Zitat, genauer gesagt auf dem Hamlet-Monolog, und hätte daher die entsprechende deutsche Übersetzung »Wütendes Geschick« verdient. Doch hierzulande fürchtete man offenbar, das Kinopublikum mit Shakespeare zu überfordern, und entschied sich lieber für einen Titel, der weniger literarisch klang: »Nichts als Ärger mit dem Typ«.

Auch nach der Jahrtausendwende wurde noch manche spektakuläre Übersetzung geprägt: Auf einer Familienfeier im Jahr 2004 erzählte mir meine Tante Karla von einem Film, den sie und Onkel Friedrich während eines Fluges nach Neuseeland gesehen hatten. Onkel Friedrich habe sich köstlich amüsiert, aber leider nicht alles verstanden, weil der Film auf Englisch war. Es sei eine Komödie mit Ben Stiller gewesen. Irgendwas mit Völkerball. »Dodgeball« habe er im Original geheißen, erinnerte sich meine Tante: »Ziemlicher Klamauk, aber Friedrich musste so lachen!« Darum wollte sie ihm den Film zu Weihnachten auf Video besorgen und hatte sich bereits in zwei Fachgeschäften erkundigt, aber niemand konnte mit »Dodgeball« oder »Völkerball« etwas anfangen. »Du bist doch im Internet«, sagte meine Tante, »kannst du da nicht herausfinden, ob es diesen Film überhaupt auf Video gibt?« Das tat ich gern, und wie sich herausstellte, gab es ihn tatsächlich auf Video, allerdings unter einem völlig anderen Titel. Auf Deutsch hieß er: »Voll auf die Nüsse«. Das war meiner Tante so peinlich, dass sie es vorzog, Onkel Friedrich eine Naturdoku über das Leben der Kraniche zu schenken. »Voll auf die Nüsse« bekam er dann von mir.

Deutsche Filmübersetzer sahen sich immer dann vor eine besondere Herausforderung gestellt, wenn der englische Filmtitel aus einem Namen bestand, der dem deutschen Publikum höchstwahrscheinlich nichts sagte. Hier war Einfallsreichtum gefragt! Dabei bewiesen die Übersetzer mal mehr Geschick und mal weniger. Ein zweifellos gelungenes Beispiel ist der Woody-Allen-Film »Annie Hall« (1977), der in Deutschland unter dem Titel »Der Stadtneurotiker« bekannt wurde. Gelungen deshalb, weil die eigentliche Hauptfigur nicht Annie Hall (gespielt von Diane Keaton) ist, sondern der höchst neurotische Stadtmensch Alvy Singer alias Woody Allen. Ein jüngeres und nicht ganz so gelungenes Beispiel ist die Komödie »Tamara Drewe« (2010), für die man hierzulande einen Reim erfand, der Goethe vor Neid hätte erblassen lassen: »Immer Drama um Tamara«.

In den 80er-Jahren ging man dazu über, immer mehr englische Titel englisch zu lassen und ihnen lediglich einen »erklärenden« deutschen Zusatz anzuhängen. Das war mal passend, so wie bei dem Film »Blind Date – Verabredung mit einer Unbekannten« (1987), der die Erklärung für den Ausdruck »Blind Date« gleich mitlieferte. Meistens aber war der deutsche Zusatz nicht erhellend, sondern einfach nur grotesk. So wurde das Roadmovie »Dudes« (1987) bei uns zu »Dudes – Halt mich fest, die Wüste bebt!«. Und die Danny-DeVito-Komödie »Wise Guys« (1986) lief hierzulande unter dem Titel »Wise Guys – Zwei Superpflaumen in der Unterwelt«. »Reality Bites« (1994) von Regisseur Ben Stiller erhielt den deutschen Zusatz »Voll das Leben«. Und die Kriminalposse »Burn after reading« (2008) kam unter dem ungemein provozierenden deutschen Verleihtitel »Burn after reading – Wer verbrennt sich hier die Finger?« in die Kinos. Angesichts solcher Leistungen muss man dankbar sein, dass das oscarprämierte Epos »Brokeback Mountain« (2005) nicht mit einem deutschen Zusatz wie »Berge der verbotenen Lust« versehen wurde.

In den 90er-Jahren brachen im deutschen Filmverleih die letzten Dämme gegen die Übermacht des Englischen. Wurde »Star Wars« 1977 noch mutig mit »Krieg der Sterne« übersetzt, war die Fortsetzung der Trilogie 20 Jahre später auch in Deutschland unter dem Titel »Star Wars« zu sehen. Wie in der Werbung und vielen Dienstleistungen setzte man auch im Filmverleih auf die Anziehungskraft des Englischen. Wer sich auf Titel wie »Pulp Fiction« (1994) oder »Road to Perdition« (2002) keinen eigenen Reim machen konnte, gehörte offenbar nicht mehr zur Zielgruppe. Dabei wäre manchem Titel eine Übersetzung durchaus zuträglich gewesen. Der Bruce-Willis-Film »The Sixth Sense« (1999) wäre als »Der sechste Sinn« deutlich leichter auszusprechen gewesen und hätte den Verkäufern an den Kinokassen manchen Spuckeregen erspart. Auch »Catch me if you can« (2002) mit Tom Hanks und Leonardo DiCaprio hätte als »Fang mich, wenn du kannst« keine schlechte Figur gemacht. Den Franzosen war der Titel noch eine Übersetzung wert: »Arrête-moi si tu peux« heißt er dort.

Bizarrerweise bekommen inzwischen viele englische Filmtitel bei der Eindeutschung einen anderen englischen Titel verpasst. Etwas ins Deutsche zu übertragen bedeutet heute offenbar, ein passendes englisches Pendant zu finden. Der US-amerikanische Kriminalfilm »All good things« (2010) kam in Deutschland unter dem Titel »All beauty must die« heraus. Aus »Cradle to the Grave« (2003) (wörtlich: »Von der Wiege bis zur Bahre«) wurde »Born to die«. Der Thriller »Cellular« (2004) hieß bei uns »Final Call – Wenn er auflegt, muss sie sterben«. Das Science-Fiction-Spektakel »Edge of

Tomorrow« (2014) mit Tom Cruise erhielt den Titel: »Live, die, repeat«. Und der John-Travolta-Film »Wild Hogs« (2007), wörtlich: »Wildschweine«, wurde in Deutschland zu »Born to be wild«. Sicherheitshalber gab man ihm aber noch einen deutschen Zusatz, nämlich: »Saumäßig unterwegs«.

Einst war das Finden eines klangvollen deutschen Titels eine Kunst, die einen englischsprachigen Film veredeln konnte. 1952 drehte James Stewart einen Western mit dem Titel »Bend of the River«. Übersetzt heißt das »Flussbiegung«. Ein ziemlich nichtssagender Titel. Daher fand man einen anderen, der deutlich mehr nach Spannung und Abenteuer klang: »Meuterei am Schlangenfluss«. Auch so mancher Alfred-Hitchcock-Film bekam durch freie Übersetzung einen Titel, der inspirierender war als die englische Vorlage. Die Freiburger Internetseite fudder.de führt ausgerechnet Hitchcocks »Der unsichtbare Dritte« (1959) unter den Top 20 der »bescheuertsten Filmtitelübersetzungen«. Dabei ist das eine der gelungensten. Der Originaltitel »North by Northwest« enthält nichts weiter als eine Richtungsangabe, die für den Filmplot völlig unerheblich ist. Der deutsche Titel hingegen charakterisiert die Rolle, in die der Hauptdarsteller Cary Grant unfreiwillig gerät, und erzeugt durch das Attribut »unsichtbar« mehr Spannung, als es »Nord-Nordwest« je vermocht hätte. Aus dem Jahr 1974 stammt »Spiel mir das Lied vom Tod« – der Westernklassiker aus Italien – mit Henry Fonda in der Hauptrolle. Schon beim Lesen des Titels hört man den unheilvollen Klang der Mundharmonika. Auf Englisch hieß der Film »Once Upon a Time in the West«, wörtlich übersetzt: »Es war einmal im Westen«. Zu harmlos für einen knallharten Italowestern. Mit »Spiel mir das Lied vom Tod« ist den Übersetzern eine deutlich intensivere Titelfindung gelungen.

In anderen Fällen ist die Übersetzung vielleicht etwas zu pathetisch geraten: »Don't look now« (1973), wörtlich »Sieh jetzt nicht her« oder »Jetzt nicht gucken!«, erhielt den schwermütigen Titel »Wenn die Gondeln Trauer tragen«. Der James-Dean-Klassiker »Rebel Without a Cause« (wörtlich: »Rebell ohne Grund«) wurde 1955 in Deutschland unter dem Titel »Denn sie wissen nicht, was sie tun« bekannt – ein Zitat aus der Bibel, das noch heute häufiger mit James Dean als mit Jesus in Verbindung gebracht wird. Freie Übersetzung bietet immer die Möglichkeit, etwas Unverwechselbares zu schaffen. Während man die britische Serie »The Avengers« (1961–1969) heute im Internet unter ihrem englischen Titel vergebens sucht, weil sie von einer gleichnamigen amerikanischen Comicverfilmung völlig verdrängt wurde, wird man unter ihrem deutschen Titel sogleich fündig: »Mit Schirm, Charme und Melone« ist zweifellos einer der originellsten Serientitel überhaupt: tausendfach zitiert, kopiert und persifliert.

Eine der schönsten freien Filmübersetzungen stammt aus dem Jahr 1955: Katharine Hepburn spielt eine reife, alleinstehende Frau aus Ohio, die von ihrem Ersparten eine Reise nach Venedig unternimmt. Davon hatte sie schon immer geträumt. In Venedig lernt sie einen charmanten Antiquitätenhändler kennen, der ihr den Hof macht. Mit ihm erlebt sie eine zarte Romanze, und so kommt zum Zauber der Stadt der Zauber der Liebe hinzu. Im Englischen hatte der Film den relativ belanglosen Titel »Summertime«, was man mit »Sommer« oder »Zeit des Sommers« hätte übersetzen können. Doch die Filmübersetzer zogen sämtliche Register ihres Könnens und nannten den Film: »Traum meines Lebens«. Einen schöneren Titel hätte man für diese zauberhafte Liebesgeschichte nicht finden können.

Wofür ist das Semikolon gut?

Es ist das Stiefkind unter den Satzzeichen, oft unterschätzt und verkannt: das Semikolon. Mehr als ein Komma, weniger als ein Punkt. Viele Menschen wissen nicht, was sie damit anfangen sollen, und halten das Semikolon für überflüssig. Sein besonderer Nutzen liegt in etwas, das nicht jedem liegt: in der Differenzierung, der typografischen Auflockerung, der stilistischen Verfeinerung.

Es ist schon seltsam: Immer wieder wenden sich Menschen an mich mit der Frage, ob die eine oder andere Besonderheit unserer Sprache nicht überflüssig sei und abgeschafft werden solle. Der Genitiv, das Eszett, der Konjunktiv, die Schreibschrift, die Anrede in E-Mails … Vor einiger Zeit wollte die »taz« von mir wissen, ob man eigentlich das Semikolon noch brauche; und wenn ja, wofür?
Die Frage nach Sinn und Notwendigkeit des Semikolons ist keineswegs neu. Schon vor 20 Jahren stellte Wolf Schneider über die Schreibgewohnheiten der damals jungen Generation missbilligend fest: »Fünf der sieben Satzzeichen kommen kaum noch vor oder überhaupt nicht mehr.«

Unter den Satzzeichen ist das Semikolon in etwa das, was unter den Fällen der Genitiv ist: Man muss es nicht unbedingt beherrschen, um über die Runden zu kommen – aber es schadet auch nicht; denn je mehr Möglichkeiten man kennt, desto differenzierter kann man sich ausdrücken.

Die Duden-Definition für das Semikolon lautet: »Satzzeichen, das etwas stärker trennt als ein Komma, aber doch den Zusammenhang eines größeren Satzgefüges verdeutlicht.« Da es nicht jedem Menschen gegeben ist, »im Zusammenhang eines größeren Satzgefüges« zu denken, ist es nicht verwunderlich, dass vom Semikolon nur begrenzt Gebrauch gemacht wird.

Der Name entstand im 15. Jahrhundert als Neubildung aus dem lateinischen »semi« (= »halb«) und dem griechischen Wort »kōlon«, das im engeren Sinn »Körperteil«, im erweiterten Sinn »Satzglied« bedeutet. Schon die alten Griechen kannten das aus Punkt und Komma zusammengesetzte Zeichen, gebrauchten es allerdings in einer völlig anderen Funktion, nämlich als Fragezeichen. Erst die Römer wiesen ihm seine Funktion als aneinanderkettendes Satzzeichen zu. In der Mehrzahl wird das Semikolon zu »Semikola«, was entfernt wie »Cola light« klingt.
Das deutsche Wort für das Semikolon ist »Strichpunkt«. Unter diesem Namen ist es vor allem im süddeutschen Sprachraum bekannt.

Das Semikolon kann vor einer ganzen Reihe von Konjunktionen zum Einsatz gelangen, allerdings nur, wenn ein Hauptsatz folgt. Für die Abtrennung eines Nebensatzes ist das Semikolon ungeeignet.
Ich verwende das Semikolon gern vor »denn«. Die Konjunktion »denn« steht oft am Anfang eines neuen Satzes, bildet aber einen logischen Anschluss an den vorangegangenen. Nehmen wir als Beispiel die Sätze »Ich fühle mich so allein« und »Denn du bist nicht da«. Man könnte sie mit einem Punkt trennen:

»Ich fühle mich so allein. Denn du bist nicht da.«

Ein Punkt stellt eine Zäsur dar, eine Pause. Die Stimme geht hinter »allein« nach unten, dadurch erhält die Aussage mehr Gewicht, wirkt schwerer, wenn nicht gar schwermütig. Manchmal ist dies beabsichtigt, dann ist der trennende

Punkt ein bewusst gewähltes Stilmittel. Man könnte die beiden Sätze auch einfach mit einem Komma verbinden:

»Ich fühle mich so allein, denn du bist nicht da.«

Dann liest man sie in einem Atemzug, die Satzmelodie beschreibt einen durchgehenden Bogen. Dadurch aber kommt dem Wort »allein« womöglich weniger Gewicht zu, als es verdient.

Trennt man die beiden Sätze mit einem Semikolon, so hat man beides zugleich: einen Einschnitt, der aber nicht zu tief geht, und einen fließenden Übergang, bei dem aber über nichts hinweggelesen wird.

»Ich fühle mich so allein; denn du bist nicht da.«

Hier offenbart sich das eigentliche Wunder des Semikolons: die Möglichkeit zur Differenzierung, zur Verfeinerung. Der Wille zur Verfeinerung setzt freilich ein ausgeprägtes Stilbewusstsein voraus. Das ist schon beim Kochen so: Um eine Soße verfeinern zu können, braucht man einen gut entwickelten Geschmackssinn. Wenn Punkt und Komma das Salz und der Pfeffer sind, dann ist das Semikolon der Estragon im Gewürzregal der Satzzeichen.

Kein Wunder also, dass es vornehmlich in der Literatur zu finden ist. Schriftsteller, Poeten und Liedermacher wissen den Strichpunkt zu schätzen und zu gebrauchen. Der Maler und Dichter Horst Janssen schrieb über das Semikolon: »Es trennt das eine Begehren nicht vom nächsten wie ein Punktum – nicht mal für eine Weile – es tut aber auch nicht so lässig wie ein Komma, das sagen wollte: ich bin noch nicht fertig.« Thomas Mann setzte es in den »Buddenbrooks« mehr als

760 Mal, das heißt also auf jeder Seite mindestens einmal, häufiger noch als Doppelpunkte. Man findet das Semikolon bei ihm oft vor Sätzen, die ein »aber« enthalten oder mit einem »dann« beginnen:

> *Rechts führte die Treppe in den zweiten Stock hinauf, wo die Schlafzimmer des Konsuls und seiner Familie lagen;* *aber auch an der linken Seite des Vorplatzes befand sich noch eine Reihe von Räumen.*

> *Als der Wagen die letzten Häuser zurückließ, beugte Tony sich vor, um noch einmal den Leuchtturm zu sehen;* *dann lehnte sie sich zurück und schloß die Augen, die müde und empfindlich waren.*

Ebenso oft verwendete Thomas Mann das Semikolon, wenn es galt, eine vom Erzähler unterbrochene wörtliche Rede wieder aufzunehmen:

> *»Tja, traurig«, sagte der Makler Grätjens;* *»wenn man bedenkt, welcher Wahnsinn den Ruin herbeiführte …«*

Doch nicht nur in der schönen Literatur erfüllt das Semikolon seinen Zweck; auch in Sachtexten kann es sich als hilfreich und nützlich erweisen, zum Beispiel als Unterteilung bei komplexeren Aufzählungen:

sinken, sank, gesunken; stinken, stank, gestunken; trinken, trank, getrunken; aber: hinken, hinkte, gehinkt (nicht: gehunken); blinken, blinkte, geblinkt (nicht: geblunken); winken, winkte, gewinkt.

Da die einzelnen Gruppen hier jeweils Kommas enthalten, wäre ein Komma als Abtrennung zur nächsten Gruppe nicht deutlich genug. Schrägstriche wären ebenfalls möglich, sind aber nicht die erste Wahl, da sie den Text regelrecht zerschneiden. Das Semikolon hingegen erfüllt genau den Zweck, der hier gefragt ist: schärfer trennen, als es ein Komma vermochte, ohne den Lesefluss zu beeinträchtigen.

Doch hat das Semikolon in gebildeten Kreisen nicht nur Freunde. Der US-amerikanische Schriftsteller Kurt Vonnegut beispielsweise hielt Semikola für »transvestitische Zwitter ohne die geringste Bedeutung«. Ein Sprachwissenschaftler der Freien Universität Berlin glaubt im Gebrauch des Semikolons gar die Gefahr der sprachlichen Verwässerung zu erkennen. Mit dem Semikolon könne man eine Beziehung zwischen Sätzen herstellen, ohne darüber nachzudenken, worin diese Beziehung bestehe. Dieses Argument lässt sich jedoch mühelos entkräften; denn wer beim Schreiben nicht nachdenkt, käme gar nicht erst auf die Idee, ein Semikolon zu verwenden.

Die jüngere Autorengeneration macht vom Semikolon deutlich weniger Gebrauch als die Literaten des 19. und 20. Jahrhunderts. Das lässt sich nicht nur für das Deutsche feststellen; im Englischen verhält es sich genauso. Wie die »Washington Post« nachgerechnet hat, schüttete Mark Twain in seinem 1876 veröffentlichten Roman »Die Abenteuer des Tom Sawyer« über je 1000 Wörtern neun Semikola aus. 80 Jahre zuvor war Jane Austen in »Sense and Sensibility« (deutsch: »Verstand und Gefühl«) sogar auf 13 Semikola pro 1000 Wörter gekommen. Joanne K. Rowling fand in »Harry Potter und der Stein der Weisen« (1997) für das Semikolon nur noch zweimal pro 1000 Wörter Verwendung, Stephenie Meyer in ihrem 2005 erschienenen »Twilight« (dt. »Bis(s) zum Morgengrauen«) sogar nur 1,9-mal. Wobei ich keine Ahnung habe, wie 1,9 Semikola aussehen sollen.

Stirbt das Semikolon also aus? Ganz sicher nicht; denn es hat sich längst neue Betätigungsfelder erschlossen, zum Beispiel die Informatik: In verschiedenen Programmiersprachen markiert das Semikolon das Ende eines Befehls. Allein aus diesem Grund kann man ohne Übertreibung behaupten, dass unsere gesamte Kommunikation zusammenbräche, wenn das Semikolon über Nacht verschwände.

Neben dem Fachgebrauch in der Informatik hat sich der Strichpunkt auch in der Alltagsschriftsprache einen festen Platz gesichert, und zwar in einer Funktion, wie Wolf Schneider sie vor 20 Jahren noch nicht erahnen konnte: als Zwinker-Auge in elektronischen Nachrichten. Diese Funktion wird dem Semikolon für mindestens eine weitere Generation das Überleben sichern ;-)

Weiteres zu Punkten, Strichen und Häkchen:

»Deutschland, deine Apostroph's«
(»Dativ«-Band 1)
»Das gefühlte Komma«
(»Dativ«-Band 2)
»Krieg der Häkchen: Episode 2 – die »Rückkehr«
(»Dativ«-Band 2)

Wenn dasselbe und das Gleiche nicht dasselbe sind

Einige Menschen gebrauchen »dasselbe« und »das Gleiche« als Synonyme, das heißt als Wörter mit gleicher Bedeutung. Andere Menschen aber sind sich sicher, dass dasselbe und das Gleiche nicht dasselbe sind. Doch worin genau besteht der Unterschied? Ein Kapitel zu einer ewig gleichen Frage, die doch nie dieselbe ist.

Meine Freundin Sibylle wollte von mir wissen, ob man eigentlich jedes Jahr am selben Tag Geburtstag habe – oder am gleichen Tag? Das Datum bleibe ja immer gleich; der Wochentag hingegen sei selten an zwei Jahren in Folge derselbe. Sei es falsch zu behaupten, man habe jedes Jahr am selben Tag Geburtstag? Oder sei das Jacke wie Hose?
Ich überlegte kurz und erwiderte: »Kennst du den Film ›Und täglich grüßt das Murmeltier‹? Darin durchlebt der in einer Zeitschleife gefangene Protagonist – dargestellt von Bill Murray – wieder und wieder den gleichen Tag. Es ist aber nie derselbe. Denn jedes Mal verläuft der Tag anders. Dein Geburtstag findet jedes Jahr am gleichen Tag statt, immer im gleichen Monat. Doch jeder Geburtstag ist anders, daher ist es nie derselbe Tag. Derselbe Tag kann sich nicht wiederholen.« Sibylle dachte nach. »Und wie ist das mit dir und der Kanzlerin?«, fragte sie dann. »Ihr habt doch am selben Tag Geburtstag, seid aber nicht gleich alt. Ist es dann falsch zu sagen, ihr wurdet am selben Tag geboren?« – »Streng genommen ja«, erwiderte ich. »Wir wurden zwar beide an einem 17. Juli geboren, feiern also jedes Jahr am selben Tag Geburtstag, wurden aber nicht am selben Tag geboren. Sonst wären wir gleich alt – oder genauso alt wie die italienische Sängerin Milva, die ebenfalls am 17.7. Geburtstag hat. Ich bin mir nicht einmal sicher, ob man behaupten kann, wir seien *am gleichen Tag* geboren worden. Denn an meinem 17.7. war

es sonnig und heiß, an Angela Merkels 17.7. war es um einige Grade kühler, und es goss wie aus Kübeln.«
Niemand nimmt es mit der Unterscheidung zwischen »dasselbe« oder »das Gleiche« genauer als mein Freund Henry. Er pflegt es so zu erklären:
»Ob in einem bestimmten Zusammenhang ›dasselbe‹ oder ›das Gleiche‹ gefragt ist, kannst du dir am besten mit dem Zahnbürsten-Vergleich verdeutlichen: Du und ich benutzen seit Jahren die gleiche Zahnbürste. Aber selbstverständlich niemals dieselbe! Unsere Zahnbürsten gleichen sich, weil sie vom selben Hersteller stammen, es sind aber zwei unterschiedliche. Wenn von ›derselben‹ Zahnbürste die Rede ist, dann ist nur eine einzige Zahnbürste im Spiel. Bei ›der gleichen Zahnbürste‹ sind es zwei. Um es auf eine einfache Formel zu bringen: Zwei Dinge, die das Gleiche sind, sind einander zum Verwechseln ähnlich. Zwei Dinge, die dasselbe sind, sind identisch und somit in Wahrheit ein Ding. Daher heißt es auch oft: Das ist ein und dasselbe!«

Zwei im gleichen Kleid

»Das mit der Zahnbürste leuchtet mir ein«, sagte Sibylle. »Aber ist es falsch zu sagen, ihr benutzt dasselbe Modell?« Eine verzwickte Frage! Auf der Suche nach einer eindeutigen Definition des Unterschieds zwischen demselben und dem Gleichen – sofern es eine solche überhaupt gibt – zogen Henry und ich verschiedene Wörterbücher zu Rate. Im Wörterbuch von Lutz Mackensen (1991) stießen wir auf folgenden knappen Eintrag: »dasselbe: kein anderes«.

Zwei im selben Kleid

Die Erklärung mithilfe des Gegenteils war sehr geschickt und erschien mir plausibel. Schwieriger wurde es mit dem danebenstehenden Beispielsatz: »Er hat dasselbe Einkommen wie du.« Henry war damit nicht einverstanden. »Ich hätte hier eher vom ›gleichen Einkommen‹ gesprochen«, sagte er, »weil es gleich groß ist. ›Dasselbe‹ Einkommen kann nicht zweimal ausgezahlt werden. Das wäre Betrug – oder Zauberei!«

Im Synonymwörterbuch aus dem Bertelsmann-Verlag von 1998 fand sich unter dem Stichwort »gleich«: »übereinstimmend, identisch, eins, einerlei, äquivalent«, was Henry erst recht missfiel. »Zwei gleiche Schuhe können niemals identisch sein«, widersprach er. »*Identisch* bezeichnet immer nur *eine* Sache oder *ein* Wesen, niemals zwei gleiche. Jede Identität gibt es nur einmal, selbst eineiige Zwillinge haben verschiedene Identitäten.«
Unter dem Stichwort »dasselbe« erklärte dasselbe Wörterbuch, dass dafür umgangssprachlich auch »das Gleiche« verwendet werden könne. Diese Feststellung empfand Henry freilich als ungenügend, denn »umgangssprachlich« könne man schließlich alles sagen.
Als Nächstes nahmen wir uns den »Wahrig« vor (8. Auflage, 2006). Dort heißt es unter »der, die, das Gleiche«: »Gegenstand, der ebenso aussieht (wie ein anderer), aber nicht ein u. derselbe ist«. Und unter »dasselbe«: »1. genau das, eben das, 2. *umg. oft fälschl. für* → das Gleiche«.
»Umgangssprachlich oft fälschlich«, wiederholte Henry und folgerte: »Der Wahrig nimmt die Gleichsetzung von ›dasselbe‹ und ›das Gleiche‹ offenbar nicht so gelassen hin wie der Bertelsmann.« – »Dann lass uns schauen, was Herr Konrad dazu schreibt«, sagte ich und griff nach dem 10. Band aus der Duden-Reihe, dem »Bedeutungswörterbuch«. Dort erfuhren wir zunächst: »Das Demonstrativpronomen *derselbe, dieselbe, dasselbe* kennzeichnet ebenso wie *der/die/das gleiche* eine Übereinstimmung, eine Gleichheit, die Identität.« Henry kräuselte die Stirn: »Für den Duden ist natürlich mal wieder alles ein Quark.« – »Nicht so schnell, junger Mann«, unterbrach ich, »es geht noch weiter!« Und ich las: »Es gibt aber nicht nur eine Identität des Wesens oder Dings, sondern auch eine Identität der Art oder Gattung.« – »Aha«, machte Henry, »jetzt wird die Sache richtig spannend, um nicht zu sagen: kompliziert.«

Es folgten drei Beispielsätze:

Ich möchte denselben/den gleichen Wein wie der Herr am Fenster.
Er hat denselben/den gleichen Vornamen wie sein Vater.
Sie trafen sich heute um dieselbe/die gleiche Uhrzeit wie gestern.

»Die Beispiele mit dem Vornamen und der Uhrzeit sehe ich ja noch ein«, sagte Henry, »aber bei dem Wein dreht sich mir der Magen um. Denselben Wein kann man nur einmal trinken!« – »Das siehst du zu eng«, widersprach ich, »mit Wein ist hier die Sorte gemeint, nicht nur das bisschen, was der Herr am Fenster in seinem Glas hat. Das ist es, was der Duden mit ›Identität der Art‹ meint.« – »Und woher soll man wissen, welche Identität jeweils gemeint ist – die der Art oder die des Dings…bums?«, fragte Henry. »Der Duden schreibt, das ergebe sich im Allgemeinen aus dem Zusammenhang.« – »Womit wir so klug wären als wie zuvor«, schloss Henry, »denn bekanntlich ergeben sich auch Missverständnisse immer aus irgendeinem Zusammenhang.«
Henry hat vermutlich recht. Deutlich klüger fühle ich mich nach dieser Odyssee durch die Wörterbücher nicht. Die Sache scheint fast noch komplizierter geworden zu sein. Denn es kommt nicht nur darauf an, was man unter »demselben« und »dem Gleichen« versteht, sondern auch, wie man die Sache, um die es dabei geht, definiert: als Einzelstück oder als Oberbegriff.
Was Sibylles Frage betrifft, ob wir dasselbe Zahnbürsten-Modell benutzen, so werde ich ihr antworten: Wenn du unter »Modell« ein Einzelstück verstehst, dann nicht. Wenn du mit »Modell« aber die Vorlage meinst, nach der all die vielen gleichen Zahnbürsten angefertigt wurden – dann ist es richtig, vom »selben« Modell zu sprechen.

Während ich die Wörterbücher zurück ins Regal stellte, sagte Henry: »Dazu fällt mir ein Witz ein!

Sagt der Gast im Restaurant: Herr Ober, ich möchte bitte denselben Wein wie der Herr am Fenster.
Ober: Meinen Sie die Identität des Dings oder die Identität der Art?
Gast: Äh … wie bitte?
Ober: Wenn Sie die Identität der Art meinen, bringe ich Ihnen eine Flasche vom gleichen Wein. Von mir aus auch vom selben, das ist in diesem Falle egal. Wenn Sie allerdings die Identität des Dings meinen, muss ich den Herrn am Fenster fragen, ob er bereit ist, sich für Sie den Magen auspumpen zu lassen.
Gast: Ich glaube, ich hätte doch lieber einfach nur ein Wasser.«

Mehr zum Thema »gleich und doch verschieden«:

»Trügerischer Anschein des Scheinbaren« (»Dativ«-Band 1)
»Voll und ganz verkehrt« (»Dativ«-Band 3)
»Ungleiche Schwestern« (»Dativ«-Band 4)
»Nach dem Letzten geht noch was!« (in diesem Buch auf S. 20)

Äpfelmus, Kartoffelnsalat und Nüssetorte

Frage eines Lesers aus Münster: Verehrter Zwiebelfisch, ich habe eine Frage zur Kartoffel – und zum Apfel. Müsste es, wenn es um Salat aus Kartoffeln geht, nicht Kartoffelnsalat heißen? Und beim Mus aus Äpfeln nicht Äpfelmus? Beim Mus aus Pflaumen heißt es doch auch Pflaumenmus. Ich bin gespannt auf Ihre Antwort!

Antwort des Zwiebelfischs: Lieber Leser, die Antwort ist vermutlich nicht ganz so leicht verdaulich, wie man es bei einer derart appetitanregenden Frage vermuten sollte. Selbst der Duden räumt ein: »Es gibt keine ausnahmslos gültige Regel. Entscheidend für die Anwendung der Singular- oder Pluralform ist jeweils der Sprachgebrauch im Einzelfall.« So viel lässt sich immerhin feststellen: Bei Zusammensetzungen mit Obst und Gemüse als erstem Bestandteil stehen das Obst und das Gemüse für gewöhnlich in der Einzahl:

Apfel + Kompott = Apfelkompott
Kartoffel + Mus = Kartoffelmus
Nuss + Torte = Nusstorte

Die Grammatik lässt es dabei völlig kalt, dass für ein Kompott und ein Mus immer mehrere Früchte einer Sorte nötig sind. »Äpfelkompott«, »Kartoffelnmus« und »Nüssetorte« wären vielleicht logisch, aber Logik und Grammatik sind bekanntlich zwei Paar Schuhe.

Die Grammatik hält sich hier an andere Zusammensetzungen wie »Haustür« oder »Busfahrer«, die ebenfalls nicht zu Häusertüren oder Bussefahrern werden, selbst wenn es um die Türen verschiedener Häuser und die Fahrer verschiedener Busse geht.

Endet die Frucht auf einen unbetonten Vokal (wie die Birne, die Orange, die Feige oder die Pflaume), wird ein Fugenzeichen eingeschoben, in diesem Fall ein »n«. Das heißt aber nicht, dass Birne, Orange, Feige und Pflaume dadurch plötzlich in der Mehrzahl stünden. Das »n« kittet nur die Fuge zum folgenden Wort:
Birne + »n« + Gelee = Birnengelee (= Gelee von der Birne)
Orange + »n« + Saft = Orangensaft (= Saft von der Orange)
Pflaume + »n« + Mus = Pflaumenmus (= Mus von der Pflaume)
Beere + »n« + Konfitüre = Beerenkonfitüre (= Konfitüre von der Beere)

Doch keine Regel ohne Ausnahmen, und davon gibt es im deutschen Obstgarten reichlich. Während die gewöhnliche Beere zur Beerenkonfitüre wird, werden »spezialisierte« Beeren wie die Erdbeere, die Himbeere und die Stachelbeere nicht zu Erdbeerenkonfitüre, Himbeerengelee oder Stachelbeerentorte. Wenn der Beere ein Bestimmungswort (»Erd-«, »Him-«, »Stachel-«, »Brom-« etc.) vorausgeht, fällt das unbetonte »e« am Ende der Beere weg, und ein Fugenzeichen gibt's dann auch nicht mehr: Aus Maul, Beere und Baum wird – schnipp, schnapp, »e« ab – der Maulbeerbaum (nicht: Maulbeerenbaum).

Auch die Kirsche hält sich offenbar für eine spezialisierte Beere, denn sie lässt gleichfalls ihr unbetontes »e« einfach fallen, wenn sie eine Wortverbindung eingeht. Sie wird also nicht – wie in obiger Regel – zu Kirschensaft und Kirschenkuchen, sondern zu Kirschsaft und Kirschkuchen.
Und selbst die Birne erweist sich als wankelmütiges Wesen. Liegt sie in der Kompottschüssel, ist es »Birnenkompott«.

Hängt sie aber am Baum, dann ist's kein Birnenbaum, sondern ein Birnbaum. Ganz nach Art der Kirsche, die nicht am Kischenbaum hängt, sondern am Kirschbaum. Die Pflaume indes behält ihr »e« und hängt am Pflaumenbaum. Allerdings spricht sich das bei uns im Norden wie »Flaumbaum«, was aber eher an der ortsüblichen Trägheit bei der Aussprache als an irgendeiner grammatischen Regel liegt. Der Saft aus Birnen ist hingegen nicht Birnsaft, sondern Birnensaft, während der Saft aus Kirschen nicht Kirschensaft ist, sondern Kirschsaft. Das ist zugegebenermaßen verwirrend. Nicht umsonst besagt ein alter Rat: Man soll Kirschen nicht mit Birnen vergleichen.

Über eine ganz ähnliche Frage haben sich vor langer Zeit die Komiker Karl Valentin und Liesl Karlstadt auf äußerst amüsante Weise den Kopf zerbrochen. Es ging dabei um den Semmelknödel. Valentin behauptete, es müsse »Semmelnknödel« heißen, weil so ein Knödel schließlich aus mehreren Semmeln und nicht bloß aus einer Semmel gemacht sei. Und auf Liesl Karlstadts Frage, wie man dann zu einem Dutzend Semmelknödel sagen müsse, antwortete er mit Bestimmtheit: »Semmelnknödeln!«

Valentins »Semmelnknödeln« stammen aus dem Jahr 1940 und zählen zu den Klassikern im deutschen Sprachkabarett. Sie werden immer wieder gern serviert, wenn es darum geht, die Unlogik des deutschen Zusammensetzungsprinzips zu entlarven.

Weiteres zum Thema Wortzusammensetzungen:

»Bratskartoffeln und Spiegelsei« (»Dativ«-Band 1)
»Als ich noch der Klasse Sprecher war« (»Dativ«-Band 3)
»Rindswahn und anderer Schweinekram« (»Dativ«-Band 1)

Wir sind Stümmeldeutsch!

»Wir sind Papst!« – »Wer kann Kanzler?« – »So geht Sofa!« – »Werden Sie HafenCity!« – Seit Jahren stilisieren Werbung und Medien ein künstliches Stümmeldeutsch zu einer Modeform, die im alltäglichen Leben von niemandem gewollt, gebraucht oder praktiziert wird.

In meinem Briefkasten finde ich den Prospekt eines Möbelhauses, aus dem es mir grell entgegenschreit: »So geht größer! So geht günstiger!« – Als der Prospekt wenige Augenblicke später schwungvoll im Altpapiercontainer landet, rufe ich ihm nach: »Und so geht weg!«

Im Supermarkt fällt mein Blick auf eine Werbung, die mir verrät: »Wir sind Supermarktwerbung!« Ich verstehe zwar nicht, was ich als Kunde in einem Supermarkt mit einer Werbung für Supermarktwerbung anfangen soll, aber ich muss schließlich nicht alles verstehen. Vom fraglichen Effekt dieser Reklame einmal abgesehen, fällt mir natürlich der interessante Satzbau auf. Nicht »Wir machen Supermarktwerbung« oder »Wir verstehen uns auf Supermarktwerbung« heißt es dort, sondern »Wir sind Supermarktwerbung«. Das lässt einen an die »Bild«-Zeitung denken. Mit der Überschrift »Wir sind Papst!« hatte das Blatt im Jahr 2005 für Aufsehen gesorgt. Das fanden damals einige schrecklich, andere hielten es für genial, in jedem Fall war der »Bild« damit ein Coup gelungen, mit dem sie Sprachgeschichte schrieb. Man kannte bis dahin nur grammatisch stimmige Parolen wie »Wir sind Weltmeister« oder »Wir sind das Volk«. Dass 80 Millionen Deutsche gleichzeitig das Amt des Oberhauptes der katholischen Kirche ausfüllen sollten, schien im Widerspruch zu allen Gesetzen der Logik und Physik zu stehen. Wenigstens aber war es ein grammatischer Regelverstoß.

In der Werbung sind Verstöße gegen die Regel an der Tagesordnung, denn schließlich ist es das Ziel aller Werbung, Aufmerksamkeit zu erregen. Und das funktioniert bekanntlich am besten, indem man aus der Reihe tanzt. »Wir sind Supermarktwerbung« ist allerdings kein Aus-der-Reihe-Tanzen mehr, sondern eher ein Mit-der-Mode-Gehen. Denn seit die »Bild«-Zeitung uns alle zum Papst erklärt hat, wurde dieses »Wir sind …«-Muster so oft kopiert, zitiert, auch parodiert und persifliert, dass der Originalitätsbonus inzwischen restlos aufgebraucht sein dürfte.
Den »Wir sind …«-Kampagnen folgten andere mit ähnlich angegriffener Syntax: In einem »Spiegel«-Interview im April 2007 sagte der damalige SPD-Fraktionschef Peter Struck über seinen Parteikollegen Kurt Beck: »Ich sage Ihnen, der kann Kanzler!« Kurt Beck wurde dann zwar nicht einmal Kanzlerkandidat, dafür wurde das »kann Kanzler« zum geflügelten Wort. 2009 lief im ZDF sogar eine mehrteilige politische Talentshow mit dem Titel »Ich kann Kanzler!«. Auch hier erregte der extravagante Satzbau den Unmut zahlreicher Zuschauer. »Bei einer Show namens ›Ich kann Deutsch‹ wären die ZDF-Macher wohl eher durchgefallen«, spottete ein Kritiker. Doch das »Kanzlerkönnen« war nicht mehr aufzuhalten. Bis heute fand die griffige Formulierung unzählige Nachahmer. »Wer kann Kanzler?«, fragte »Spiegel Online« im Wahljahr 2009, wiederholte die Frage 2011: »Wer ›kann Kanzler‹ in der SPD?« und fragte auch 2015 noch: »Kann Scholz Kanzler?«

Und natürlich lautet die Frage längst nicht nur, wer »Kanzler kann«. Das Muster wurde unzählige Male kopiert und auf alles Mögliche angewandt: »Wer kann Bundespräsident?«,

»Wer kann Angela?«, »Wer kann ›Wetten, dass ..?‹« sind nur ein paar Beispiele aus der deutschsprachigen Presse der vergangenen fünf Jahre.
»Wer kann KTG?«, fragte »Spiegel Online« im März 2011, und man brauchte einen Moment, um zu begreifen, dass es um die Nachfolge Karl-Theodor zu Guttenbergs ging.

Man darf gespannt sein, ob die von den Medien so lustvoll gesäte »Kann Kanzler«-Saat im Nährboden unserer Alltagssprache aufgeht und sich Medizinstudenten künftig mit den Worten bewerben: »Ich kann Arzt!« oder verliebte Männer ihren Angebeteten romantisch versichern: »Ich kann Ehemann!«

Das Experimentieren mit der Sprache ist ein Grundrecht der Werbung. Dazu gehören Wortspielereien, Sinnverdrehungen und eben auch das Erschaffen syntaktisch verkümmerter Aussagen wie »So geht lecker« (»Kochlöffel«), »So muss Technik« (»Saturn«), »Jetzt Garten starten« (»Obi«) und »Wir können nur billig« (»Media Markt«). Die Medien indes sind der Sprache in anderer Weise verpflichtet. Zumindest waren sie es einmal. Nämlich nicht als unermüdliche Wiederkäuer vermeintlich frech-witziger Phrasen aus dem Werbejargon, sondern als Vorbild für eine klare, schnörkellose, unverschwurbelte Sprache, die keine Moden aufgreift, sondern zeitlos ist. Denn jedes Imitieren einer sprachlichen Mode ist nichts anderes als eine Form der Anbiederung. Und Anbiederung ist das Gegenteil von Souveränität.

Ein heißer Tag im August. Vier Stunden lang haben die Möbelpacker im Schweiße ihres Angesichts Tische, Stühle und Kartons aus meinem Büro am Sandtorkai geschleppt und verladen. Gegen Mittag setzt sich der Transporter in Bewegung. Nach fünf Jahren verlasse ich die Hamburger Hafencity, um nach Niendorf zu ziehen, ein beschauliches Fischerdorf an der Lübecker Bucht. Ich werfe einen letzten Blick auf die stolzen Neubauten der Hafencity. »Werden Sie Kaiserkai!« steht auf einem breiten Transparent, das an der Fassade eines kürzlich fertiggestellten Wohnhauses hängt. Nicht mehr nötig, denke ich bei mir. Ich war fünf Jahre lang Sandtorkai. Jetzt werde ich Ostsee.

Mehr zu Sprachmoden in der Werbung und im Journalismus:

»Phrasenalarmstufe Gelb« (»Dativ«-Band 1)
»Von Modezaren und anderen Majestonymen« (»Dativ«-Band 3)
»That's shocking!« (»Dativ«-Band 3)
»Wie muss Deutsch?« (»Dativ«-Band 5)

Werbung ohne Stiel

Frage eines Lesers aus Köln: Lieber Zwiebelfisch! McDonald's wirbt für sein neues, stielloses Speiseeis mit dem Slogan »Kein Stiel aber guten Geschmack«. Stehe ich auf dem Schlauch, oder stimmt da etwas nicht? Ich denke, es müsste entweder »Kein Stiel, aber guter Geschmack« oder »Keinen Stiel, aber guten Geschmack« heißen. Was meinen Sie?

Antwort des Zwiebelfischs: Lieber Leser! Weder stehen Sie auf dem Schlauch noch auf dem Stiel; denn mit Ihrer Vermutung liegen Sie richtig. McDonald's ist nicht nur für seinen flotten Service bekannt, sondern auch für seine flotten Sprüche. Und die sind, wie es sich für ein Schnell-schnell-Unternehmen gehört, oft eher flott als sprachlich korrekt.

In diesem Fall haben sich die Werbetexter mal wieder an einem originellen Wortstiel – pardon: -spiel – versucht und dabei vor lauter sti(e)listischem Vergnügen die Grammatik außer Acht gelassen. Denn der Stiel und der gute Geschmack müssen im gleichen Kasus stehen.
Versucht man sich die Werbung als vollständigen Satz vorzustellen, könnte er mit »Unser Eis hat« – oder kürzer: »Es hat« – beginnen. Dann müsste das Folgende im Akkusativ stehen: »Es hat kein**en** Stiel, aber gut**en** Geschmack.«
Der Nominativ ginge auch, zum Beispiel als Antwort auf die Frage »Was zeigt sich hier?« Dann müsste es heißen: »Kein Stiel, aber gut**er** Geschmack.«
Auch im Dativ wäre Kasus-Gleichheit angesagt: »Es zeugt von kein**em** Stiel, aber gut**em** Geschmack«. Und im Genitiv genauso:
»Unser Eis würdigt Sie vielleicht keines Stiel**s**, aber gut**en** Geschmack**s**.«

Wenn man bedenkt, wie viel Geld so eine Werbekampagne kostet, kann einem McDonald's fast leidtun. Denn der Konzern wurde hier schlecht beraten. »Kein Stiel aber guten Geschmack« ist ein unausgegorener Mix aus Nominativ und Akkusativ, der sowohl Stil als auch guten Geschmack vermissen lässt. Und außerdem ein Komma vor »aber«.
Nun gibt es Kritiker, die behaupten, dass Stil und guter Geschmack auch gar nicht zu McDonald's passen würden. So betrachtet, wäre die stillose Kampagne für das stiellose Eis dann doch wieder stimmig.

Eine sprichwörtlich haarige Angelegenheit

Auch wenn der Mensch im Laufe der Evolution viel von seiner Behaarung eingebüßt hat: Haare sind keinesfalls zur Nebensache geworden. Wie wichtig dem Menschen die Haare sind, zeigt sich nicht nur an der Fülle von Pflegeprodukten im Handel, sondern auch an der Menge von Redewendungen, in denen es sprichwörtlich kräuselt, sprießt, sträubt und zu Berge steht.

Kürzlich musste ich mich in einem Gesellschaftsspiel der Frage stellen: »Was würdest du eher tragen: Vokuhila oder Minipli?« Na toll! Ich hatte die Wahl zwischen Pest und Cholera. Dabei ist es noch gar nicht so lange her, dass diese Frisuren der letzte Schrei waren. Ich habe es selbst miterlebt. Und eines ist sicher: Was immer Menschen im Laufe der Geschichte mit ihrem Haar angestellt haben – es hatte stets etwas zu bedeuten. In der Antike trug man es gern lang; bei Frauen galt dies als Schönheitsideal, bei Männern als ein Zeichen von Stärke und Mut. So findet man es schon in der Bibel: Die Philister konnten Simson, den starken Mann des Volkes Israel, erst bezwingen, nachdem ihm im Schlaf das Haupthaar abgesäbelt worden war.
Bei den Germanen war das Abschneiden des Nackenhaares eine Strafe für eine Missetat. Der »geschabte Nacken« galt über viele Jahrhunderte als Schandmal.* Nach dem Zweiten Weltkrieg wurde in den Niederlanden (und womöglich auch in anderen Ländern) jenen Frauen, die sich mit deutschen Soldaten eingelassen hatten, der Kopf kahlgeschoren.

Kahlheit wurde früher als Makel angesehen. Der französische König Ludwig XIII. versteckte sein frühzeitig kahl

* Zur Entstehung des Wortes »Schabernack« siehe »Dativ«-Band 5, S. 140

gewordenes Haupt unter einer Perücke, sein Sohn Ludwig XIV. tat es ihm gleich, nur dass seine Perücke ungleich prächtiger war und zum modischen Vorbild für den gesamten europäischen Adel wurde.
Die bekanntermaßen launische Natur hat dafür gesorgt, dass Haare nicht immer so sprießen, wie wir wollen, dafür oft dort, wo sie nicht sollen. Manche Menschen haben sogar Haare auf den Zähnen. Früher hieß es noch »Haare auf der Zunge« und resultierte aus der Vorstellung, dass eine starke Behaarung Kraft und Durchsetzungsfähigkeit bedeutete.

Unzählige Redewendungen ranken sich ums Haar, vom berühmten »Haar in der Suppe« über die äußerst knappe »Haaresbreite« bis zur ungalanten Feststellung »Das kannst du dir in die Haare schmieren«. Wer sprichwörtlich angewidert ist, dem »kräuseln sich die Nackenhaare«. Wen das Entsetzen packt, dem »sträuben sich die Haare«, wenn sie ihm nicht gar »zu Berge stehen«.
Dass es früher häufig zu Raufereien kam, bei denen man sich gegenseitig Haare ausriss, zeigt sich in Redewendungen wie »sich in die Haare geraten«, »sich in den Haaren liegen« und »Haare lassen müssen«. Als friedfertig galt hingegen, wer »niemandem ein Haar krümmen« konnte.
Die Angewohnheit, Menschen nach ihrem Äußeren zu beurteilen, führte zu abwertenden Redensarten wie »krauses Haar, krauser Sinn«, »wirres Haar, wirrer Verstand« und »lange Haare, kurzer Verstand«. Die Letzte galt dem weiblichen Geschlecht, dem der Mann in seiner Selbstherrlichkeit gern unterstellte, nicht klar denken zu können. Das Prinzip der kollektiven Verunglimpfung über das Merkmal der Haare lebt bis heute munter fort, wie man an der großen Zahl von Blondinenwitzen sehen kann.

Meine Großmutter legte noch Wert auf die Unterscheidung zwischen Haaren und Haar. Das Haar in der Einzahl stand für den Wuchs auf dem Kopf, während »die Haare« den Wuchs unter den Achseln und im Schambereich bezeichneten. Diese feine Unterscheidung ist verloren gegangen, heute lässt man sich »die Haare machen« und freut sich, wenn es hinterher heißt: »Du hast die Haare schön!«
Mit dem Haar und den Haaren hat man's nicht immer leicht, das ist vermutlich auch der Grund, weshalb »haarig« ein anderes Wort für »schwierig« und »kompliziert« ist. Die nächste Frage in dem Gesellschaftsspiel lautete: »Welcher Schauspieler möchtest du sein? Yul Brynner oder Telly Savalas?« Ob Sie es glauben oder nicht: Die Wahl zwischen diesen beiden kahlen Köpfen wurde für mich zu einer haarigen Angelegenheit! Manche Menschen behaupten ja, meine Texte seien haarspalterisch und meine Beispiele an den Haaren herbeigezogen. Was diesen Text betrifft, so trifft es zu. Haargenau.

Dieser Text entstand 2014 im Auftrag der Zeitschrift »Myself«.

Von Tacheles, Schlamassel, Zockern und Ganoven

Die deutsche Sprache hat aus vielen Quellen geschöpft. Eine davon war das Jiddische, die Sprache der europäischen Juden. Ohne Jiddisch könnten wir weder schachern noch zocken. Niemand hätte Massel oder Chuzpe, es gäbe weder Pleiten noch Zoff. Ohne Jiddisch könnten wir Betrug nicht für Schmu halten und Unfug nicht für Stuss.

Am Samstag war Felix bei mir, der Sohn meiner Schulfreundin Alexandra. »Vor deiner Einfahrt steht ein weißer BMW«, stellte er fest. »Ist das etwa deiner?« – »Gott behüte!«, rief ich. »Der gehört einem Nachbarn von gegenüber. Mit dem muss ich wohl mal Tacheles reden!« Felix machte ein erstauntes Gesicht: »Was ist Tacheles?«, fragte er. Ich holte eine Packung Erdbeereis aus dem Kühlschrank und erwiderte: »Tacheles reden bedeutet Klartext reden, jemandem unverblümt die Meinung sagen. Es kommt aus dem Jiddischen.« Da er davon anscheinend noch nie gehört hatte, erklärte ich: »Jiddisch ist die Sprache der europäischen Juden. Es entwickelte sich aus dem Mittelhochdeutschen und enthält auch zahlreiche hebräische und aramäische Wörter. Jiddisch ist eine eigenständige Sprache, die zur Familie der germanischen Sprachen gehört – wie Deutsch, Englisch, Niederländisch und Schwyzerdütsch.« Felix war beeindruckt: »Cool!«, sagte er und fragte: »Sprechen die Juden das auch heute noch?« – »Man schätzt, dass Jiddisch heute noch von rund einer Million Menschen gesprochen wird«, erwiderte ich. »Das ist vielleicht nicht überwältigend viel, aber es gibt etliche Sprachen, die von weniger Menschen gesprochen werden. In sechs Ländern Europas ist Jiddisch eine anerkannte Minderheitensprache, aber die größte jiddische Sprachgemeinde befindet sich heute außerhalb Europas, in den USA.« – »Kennst du noch mehr jiddische Wörter?«, wollte Felix wissen. Ich nickte: »Und ob! Es gibt in unserer Sprache nämlich eine ganze Menge davon. So wie Latein und Griechisch, Französisch, Italienisch, Englisch und Arabisch hat auch das Jiddische die deutsche Sprache beeinflusst. Kennst du das Wort ›kess‹? Das ist jiddisch und bedeutet ›flott‹, ›schneidig‹, ›vorwitzig‹. Ein anderes jiddisches Wort, das du ganz sicher kennst, ist ›mies‹. Es bedeutet ›schlecht‹. Vielleicht hast du auch schon mal das Wort ›Tinnef‹ gehört, das steht für Plunder, wertloses Zeug, überflüssigen Kram. Möglicherweise kennst du auch ›Schmu‹, das ist ein Handel, bei dem man übers Ohr gehauen wurde, und ganz sicher kennst du ›Stuss‹, das ›Unsinn‹, ›dummes Zeug‹ bedeutet.« – »Na klar!«, sagte Felix grinsend. »Meine Mutter sagt mir oft, ich soll ihr keinen Stuss erzählen.« Während wir unser Eis löffelten, erzählte ich Felix alles, was ich über jiddische Wörter wusste:

»Es gibt jiddische Wörter, denen man ihre Herkunft noch deutlich ansieht, wie ›Chuzpe‹ und ›meschugge‹. Wer Chuzpe hat, ist unverschämt und dreist, und wer meschugge ist, der hat nicht alle Tassen im Schrank. Doch vielen jiddischen Wörtern sieht man ihre Herkunft nicht mehr an. Ein schönes Beispiel dafür ist das Wort ›verkohlen‹. Das hat nichts mit Kohle oder Kohl zu tun, sondern mit dem jiddischen Wort ›kol‹, das ›Gerücht‹ bedeutet. Jemanden verkohlen bedeutete also ursprünglich, jemandem ein Gerücht unter die Nase reiben. Ein anderes Beispiel ist ›einseifen‹. Wenn jemand gründlich ›eingeseift‹ wird, ist dabei nicht unbedingt Seife im Spiel. Das alte Wort ›beseiwelen‹ geht auf das jiddische ›sewel‹ zurück, das ›Mist‹ und ›Kot‹ bedeutet. Wer ›eingeseift‹ wird, der wird im wörtlichen Sinne mit Kot beschmiert, im übertragenen Sinne beschwatzt, betrogen.

Vielleicht kennst du den Ausruf ›So ein Schlamassel!‹. Auch wenn es sich so anhört, als steckte man bis zum Hals im Schlamm, so hat es mit dem Wort Schlamm nichts zu tun. Schlamassel bedeutet Unglück, es ist das Gegenteil von Massel, dem jiddischen Wort für Glück. Wer Massel hat, der hat Glück, und wer kein Glück hat, nun ja, der hat Pech oder eben Schlamassel.

Oft findet man im Wörterbuch hinter einem Wort jiddischen Ursprungs den Vermerk ›Rotwelsch‹ oder ›Gaunersprache‹. Das sind Bezeichnungen für den Jargon des sogenannten fahrenden Volkes, zu dem neben den Sinti und Roma über viele Jahrhunderte auch die Juden gehörten, da sie von der christlichen Gesellschaft ausgegrenzt waren und weder Landwirtschaft betreiben noch einen Handwerksberuf ausüben durften. Beim fahrenden Volk gab es Musikanten, Kesselflicker, Kaufleute und Tauschhändler, die ›socher‹ betrieben, das jiddische Wort für Handel, aus dem ›schachern‹ wurde. Außerdem gab es Zocker, Schnorrer und Gauner. Zocken ist das jiddische Wort für Kartenspielen, ein Zocker ist also ein Glücksspieler. Ein typisches Instrument der Bettelmusikanten war die Schnarre, auf Jiddisch auch ›Schnorre‹ genannt. Ein Schnorrer war ursprünglich also jemand, der mittels einer Schnarre um Geldgaben bat. Und das Wort ›Gauner‹ kommt vom Wort ›Jonier‹, der jiddischen Bezeichnung für einen Griechen. Infolge der Türkenkriege im 15. Jahrhundert waren viele Griechen heimatlos geworden und hatten sich dem fahrenden Volk angeschlossen. Dort handelten sie sich den Ruf ein, beim Kartenspielen nicht immer ehrlich zu sein. Das rotwelsche ›jowonen‹ bedeutete ›falsch spielen wie ein Grieche‹. Im Laufe der Zeit wurde ›Jonier‹ zu ‹Joner‹, ›Jauner‹ und schließlich zu ›Gauner‹.

Vom Gauner ist es (zumindest im Alphabet) nicht weit zum Ganoven. Auch der kommt aus dem Jiddischen. Das hebräische Wort ›gannaw‹ für ›Dieb‹ wurde im Jiddischen zu Ganeff und Ganove.
Wenn Ganoven einen Diebeszug planten, brauchten sie einen ›Baldower‹, der die Sache für sie ›ausbaldowerte‹. Das war der Auskundschafter, eine Zusammensetzung aus ›baal‹ (= Herr) und ›dowor‹ (= Sache), also der ›Herr der Sache‹, der Anführer des Unternehmens.
Und um nicht auf frischer Tat ertappt zu werden, brauchten sie noch jemanden, der ›Schmiere‹ stand. Diese Schmiere hat nichts mit Öl oder Fett zu tun. ›Schmiere‹ kommt vom hebräischen Wort ›shmíra‹, das schlicht und einfach ›wachen‹ bedeutet. Schmiere stehen heißt also nichts anderes als ›Wache halten‹, ›aufpassen‹.

Wenn die Sache gut lief, erwartete die Ganoven jede Menge ›Kies‹, das jiddische Wort für ›Beute‹. Und wo Kies liegt, ist auch Moos nicht weit. Ohne Moos nichts los, reimen wir gern, und jeder weiß, dass mit Moos Geld gemeint ist. Nur wenige wissen, dass ein ›Moo‹ im Jiddischen ein Pfennig war und viele ›Moos‹ folglich Geld. Doch wenn sie keinen Massel hatten und die Sache schiefging, erwartete die Ganoven der ›Knast‹. Das kommt vom jiddischen ›knas‹ und war ursprünglich eine Geldbuße, eine gerichtliche Strafe. Als Ganove brauchte man Chuzpe und Massel, um nicht im Knast zu landen.«

»Und wenn man keinen Massel hatte, dann hatte man's vermasselt!«, rief Felix begeistert aus. »Du bist ein ausgekochter Bursche«, erwiderte ich anerkennend. »Und das bedeutet nicht, dass man dich zu heiß gebadet hätte, sondern dass du spitzfindig bist. Das Wort ›auskochenem‹ ist jiddisch und bedeutet ›sich vergewissern, vorbereiten, planen‹. Wer ausgekocht ist, der ist gut vorbereitet.

Im Leben geht es selten gerecht zu. Der eine ist ein ›Nebbich‹ (das heißt ein Niemand), lebt mit seiner ›Mischpoke‹ (jiddisch für ›Familie‹, ›Sippschaft‹) in irgendeinem ›Kaff‹ (vom jiddischen ›kefar‹ für Dorf) und muss für sein Auskommen hart ›malochen‹. Beim Wort ›Maloche‹ denkt mancher unwillkürlich ans Ruhrgebiet und an körperliche Schwerstarbeit in den Zechen und Stahlwerken. Tatsächlich ist das Wort im Ruhrdeutschen sehr geläufig – ebenso im Berlinischen. Doch es stammt wiederum aus dem Jiddischen und geht zurück auf das hebräische Wort ›mĕlākā‹ für Arbeit.

Der andere ist ein ›Schmock‹ (jiddisch für Blödmann, Trottel) und macht womöglich einen unverschämten ›Reibach‹.

Das ist weder ein Flüsschen noch ein Familienname, sondern die eingedeutschte Form des jiddischen ›rewach‹, das für Nutzen, Vorteil und Gewinn steht.
Wer viel Reibach macht, ist bald ein ›Großkotz‹. Das klingt derber, als es ist. Das jiddische Wort ›großkozen‹ war ursprünglich die Bezeichnung für einen schwerreichen Mann, erst später wurde daraus der Angeber, Prahler und Wichtigtuer.
›Betucht‹ zu sein, ist angenehm. Das hat aber nichts mit gutem Tuch und teuren Stoffen zu tun. Das jiddische Wort ›betuch‹ bedeutet ›sicher‹, ›wohlhabend‹. Wer ›betuch‹ war, galt als zuverlässig und genoss ein hohes Ansehen.
Wenn heute ein Geschäftsmann Bankrott macht, kann er ganz gelassen Insolvenz anmelden und bald darauf unter dem Namen seiner Ehefrau ein neues Geschäft eröffnen. Früher hatte ein Bankrott wesentlich unangenehmere Folgen, weshalb es nicht selten vorkam, dass jemand, der seine Schulden nicht zurückzahlen konnte, Reißaus nahm. Das Wort ›Pleite‹ kommt vom jiddischen ›pleto‹ und bedeutete ursprünglich ›Flucht‹. Ein Pleitegeher war jemand, der die Flucht vor seinen Gläubigern ergriff und das Weite suchte. Bei der Übernahme ins Deutsche wurde daraus ein symbolträchtiger Vogel: der Pleitegeier.
Jedes Wort in unserer Sprache hat eine Geschichte. Die jiddischen Wörter *haben* nicht nur Geschichte, sie *erzählen* Geschichten. Sie sind leuchtende Blüten auf der weiten grünen Wiese unserer Sprache.«

Inzwischen hatte Felix sein Eis ausgelöffelt und ließ einen wohligen Seufzer vernehmen.
»Wenn du nach diesem Vortrag geschlaucht wärst, könnte ich's verstehen«, sagte ich. »Das kommt übrigens vom jiddischen Wort ›schlacha‹, das ›zu Boden werfen‹ heißt. Nun sind wir aber auch am ›Zoff‹ angelangt. Zoff bedeutete ur-

sprünglich nichts anderes als Ende. Da man es aber allzu oft erlebte, dass der Zoff ›mies‹ ausging, eine Sache also ein schlechtes Ende nahm, erlangte Zoff die Bedeutung Ärger, Zank und Streit.«

Als Felix sich auf sein Fahrrad schwang, um nach Hause zu fahren, stand der weiße BMW immer noch vor meiner Einfahrt. Das gab dem Jungen Gelegenheit, seine frisch erworbenen Jiddischkenntnisse anzubringen. »Dieser Schmock hat vielleicht Chuzpe!«, rief er entrüstet aus. »Das nächste Mal bring ich meine Mischpoke mit, und dann kriegt er gehörig Zoff!«

Zu arabischen Wörtern im Deutschen:
»Safran, öffne dich!« (»Dativ«-Band 4)

Zu französischen Wörtern im Deutschen:
»Wo lebt Gott eigentlich heute?« (»Dativ«-Band 2)

Zu anderen schönen alten Wörtern:
»Mumpitz, Kinkerlitzchen und Firlefanz« (»Dativ«-Band 3)

Von Abzocke bis Zoff – Jiddische Wörter in der deutschen Sprache

Nachstehende Tabelle enthält die rund 60 bekanntesten Wörter jiddischer Herkunft in der deutschen Sprache. Es gibt darüber hinaus noch einige mehr, von denen die meisten allerdings bereits mehr oder weniger in Vergessenheit geraten sind. In einigen Fällen wie »schummeln«, »Bammel« oder »kabbeln« ist die jiddische Herkunft nicht eindeutig bewiesen.
Wer mehr zu diesem Thema erfahren will, dem seien die Bücher von Hans Peter Althaus empfohlen: »Zocker, Zoff & Zores. Jiddische Wörter im Deutschen«, »Chuzpe, Schmus & Tacheles – Jiddische Wortgeschichten« sowie »Kleines Lexikon deutscher Wörter jiddischer Herkunft«, alle drei erschienen im Verlag C. H. Beck.

Deutsche Wörter jiddischer Herkunft	Erläuterung
abzocken, abgezockt, Abzocke (die)	siehe → zocken
ausgekocht	spitzfindig, schlau, gut vorbereitet; jiddisch *kochenem* = sich vergewissern, vorbereiten, planen
baldowern, ausbaldowern	auskundschaften, aushecken, von jiddisch *baal dowor* = Herr der Sache
Beisel, Beisl (das), Beize (die)	Lokal, einfache Gaststätte, vor allem österr., dort speziell Wiener Kneipe; von jiddisch *bajis* = Haus
betucht	wohlhabend, vermögend, glaubwürdig; jiddisch *betuch(t)* = sicher; von hebräisch »bạṭûaḥ«
Buhei (auch: Bohei)	viel Aufsehen, viel Lärm (um nichts); möglicherweise von jiddisch *behelo* = Schreck
Chuzpe, die	Frechheit, Unverfrorenheit, Dreistigkeit, Unverschämtheit; jiddisch *chuzpo* = Unverschämtheit
Daffke	nur in »aus Daffke« (berlinisch) = zum Trotz, erst recht, zum Spaß; jiddisch *dafke* aus hebräisch »dawqạ̄« = nun gerade
Dalles, der	Armut, Elend, Not; im Dalles sein, den Dalles haben = in Nöten sein; von hebräisch »dallûṯ« = Armut
dufte, töfte	wunderbar, hervorragend, toll; von jiddisch *toff*(*te*), *taff*
einseifen	jemanden übervorteilen, betrügen; von rotwelsch *beseibeln* = betrügen, von jiddisch *seiwel, seibel* = Mist, Dreck
flöten gehen	verloren gehen, abhandenkommen; genau wie »pleitegehen« vom jiddischen *pleto melochenen* = auf die Flucht gehen
Ganove, Ganeff, Ganf, der	Dieb, Strauchdieb; von jiddisch *gannew*
Gauner, der	ursprünglich: Falschspieler; von jiddisch *Jonier* = Grieche
Geseier, Geseire, das	Gejammer, Gewäsch, wehleidiges Klagen, überflüssiges Gerede

Deutsche Wörter jiddischer Herkunft	Erläuterung
Großkotz, der	Angeber, Aufschneider, Prahler, Wichtigtuer; von jiddisch *großkozen* = schwerreicher Mann, Wichtigtuer; möglicherw. von hebräisch »qạẕîn« = Anführer
Ische, die	jiddisch *ischa* = Frau, Ehefrau, Dame im Kartenspiel
Kaff, das	abgelegene, langweilige Ortschaft, Kuhdorf, Nest; jiddisch *kefar* von hebräisch »kĕfạr« = Dorf
Kaffer, der	Dummkopf, blöder Mensch; jiddisch *kapher* = Bauer, zu hebräisch »kĕfạr« = Dorf
Kassiber, der	heimliches Schreiben eines Häftlings an Mithäftlinge oder nach draußen; jiddisch *kessaw* (Plural *kessowim*) = Brief, Geschriebenes; von hebräisch »kĕṯạvîm« = Schriftstücke
kess	flott, frech, schneidig, vorwitzig; jiddisch *chess* = acht, der achte Buchstabe im hebräischen Alphabet (ch), mit dem »gescheit« (*chochem, kochem* → *ausgekocht*) beginnt
Kies, der	Geld, von hebräisch »kis« = Beute
Kluft, die	von hebräisch »qĕlippä« = Schale, Rinde
Knast, der	Gefängnis, Freiheitsstrafe; jiddisch *knas*, von hebräisch »gĕnạs« = Geldbuße, gerichtliche Strafe
koscher	den jüdischen Speisegesetzen gemäß zubereitet; (umgangssprachlich) einwandfrei, in Ordnung, unbedenklich; von hebräisch »kạšer« = einwandfrei
Maloche, die	Arbeit, Schwerstarbeit, Schufterei; siehe → malochen
malochen	arbeiten, jiddisch *melochnen*, von hebräisch »mĕlākā« = Arbeit

Deutsche Wörter jiddischer Herkunft	Erläuterung
Massel, Masel, der	Glück, Erfolg; jiddisch *masol* = Stern, Himmelszeichen, Glücksstern
mauern	eine Sache (aus Angst) blockieren, beim Kartenspiel trotz guter Karten zurückhaltend spielen; von jiddisch *mora* = Angst, Furcht
mauscheln	in der Sprache Moses (= Mossele, Mauschele) sprechen, also auf jüdische Art sprechen, für andere nicht verständlich sein; übertragen: sich zum Schaden Dritter heimlich verabreden, betrügen
meschugge	verrückt, nicht bei Verstand, bekloppt; jiddisch *meschuggo* von hebräisch »měšuga«
mies	gemein, böse, bösartig, hinterhältig, schlimm, schlecht; jiddisch *mis* von hebräisch »mě'is« = schlecht
Mischpoke, Mischpoche, die	Familie, Verwandtschaft, Sippe, übertragen: üble Gesellschaft; jiddisch *mischpocho* = Familie; von hebräisch »mišpạḥặ« = Stamm
Moos, das	jiddisch *moo* = Pfennig, Pl. *moos, mous* = Geld
mosern	beanstanden, nörgeln, maulen, motzen; von rotwelsch *massern* = angeben, schwatzen, verraten; von jiddisch *mosser* = anschwärzen
Nebbich, der	unbedeutender Mensch; jiddisch *nebbich* = armes Ding
Pleite, die	Bankrott; jiddisch *pleto, pletja* = Flucht (vor den Gläubigern); von hebräisch »pěleṭặ« = Flucht
Pleitegeier	von jiddisch *pletja gejer* = jemand, der (vor seinen Gläubigern) auf die Flucht geht, sich davonmacht
Reibach, Reiwach, Rebbach, Rewach, der	von jiddisch *rewach, rewoch* = Vorteil, Gewinn, Zins

Deutsche Wörter jiddischer Herkunft	Erläuterung
Rochus, der	Wut, Zorn, Hass, etw. aus Rochus tun, einen Rochus auf jemanden haben; jiddisch *roges* = Ärger, Zorn
schachern	handeln, unlauteren Handel betreiben; jiddisch *sachern* = handeln; von rotwelsch *socher* = umherziehender Kaufmann
schicker, beschickert	betrunken, angetrunken, beschwipst, jiddisch *schicker* aus hebräisch »šikker« = betrunken machen
Schickse, die	abwertend für junge Frau; von jiddisch *schiksa* = Bezeichnung für Christenmädchen; von hebräisch »šeqeẓ« = Unreines
Schlamassel, der	verfahrene Situation, Dilemma, Kalamität, Misslichkeit; jiddisch *schlamassel* = Unglück, Pech; Gegenteil von → Massel, Masel
Schmiere stehen	aufpassen, bewachen; von jiddisch *schmiro* = Wache, Wächter; von hebräisch »šạmar« = bewachen
Schmock, der (Mehrzahl: Schmocks, auch: Schmocke oder Schmöcke)	möglicherweise von jiddisch *schmo* = Tölpel, Einfaltspinsel; tauchte erstmals als Name einer Figur in Gustav Freytags Lustspiel »Journalisten« (1853) auf und wurde zum Synonym für einen gesinnungslosen Zeitungsschreiber, später allgemein für einen unangenehmen Zeitgenossen
Schmonzes	Geschwätz, Gewäsch, Gelaber, Larifari, Unsinn, Zeugs; jiddisch *schmonzes* = Unsinn
Schmu, der	Übervorteilung, Unterschlagung, Betrug, Schiebung; jiddisch *schmuo* = Gerede, Geschwätz; *Schmu machen* = durch Beschwatzen einen Gewinn erzielen
Schmus, der	Schmeichelei, leeres Gerede, Geschwätz; jiddisch *schmuo* (Plural: *schmuos*) von hebräisch »šĕmûạ« = Gerücht

Deutsche Wörter jiddischer Herkunft	Erläuterung
schmusen	zärtlich sein, streicheln, liebkosen; von jiddisch *schmuo* (Plural: *schmuos*) = »Gerücht, Gerede, Geschwätz« über das Rotwelsche in der Bedeutung »schwatzen«, »schmeicheln«, »zugeneigt sein«
schofel, schofelig, schoflig	gemein, geizig, jemanden schofel(ig) behandeln; jiddisch *schophol* von hebräisch »šạfạl« = gemein, niedrig
Schofel, der	1. schlechte Ware, 2. schlechter Mensch, Rüpel; jiddisch *schophel* = gemeine Person, Antisemit
Schote, der	Dummkopf, Narr, Einfaltspinsel; jiddisch *schōte, schaute* = Narr; von hebräisch »šôṭẹ̈«
seiern	jammern, wehklagen, von jiddisch *gesera;* siehe → Geseier, Geseire
Stuss, der	Unsinn, Unfug, dummes Zeug; jiddisch *schtus* von hebräisch »šẹ̈ṭûṯ« = Unsinn, Torheit
Tacheles, der	Tacheles reden = offen reden, Klartext reden; von jiddisch *tachlis* = Endzweck, Vollkommenheit
Tinnef, der	wertloses Zeug, Kram, Plunder; jiddisch *tinnef* = Schmutz, Kot; von hebräisch »ṭinnûf«
verkohlen	anschwindeln, belügen, veräppeln; aus jiddisch *kol* = Gerücht, unwahre Geschichte
vermasseln	verderben, vereiteln, zunichte machen; von jiddisch → *Massel, Masel*
zocken	jiddisch *zchoken* = spielen, Kartenspielen, um Geld spielen
Zocker	jiddisch *zchoker* = Spieler, Kartenspieler, Glücksspieler, heute auch: Börsenspekulant
Zoff, der	Ärger, Streit, Zank; jiddisch (*mieser*) *zoff* = (böses) Ende; von hebräisch »sôf« = Ausgang, Ende, Schluss

»Ich will« oder »Ich möchte bitte«?

Frage eines Lesers aus Leipzig: Sehr geehrter Herr Sick, meine Freundin und ich sind uns uneinig über die Verwendung der beiden oben genannten Möglichkeiten. Wenn man etwas haben möchte und dies höflich ausdrücken will, sagt man doch »Ich möchte«, aber meine Freundin meint, dass der Konjunktiv da nicht deutlich genug sei. Sie hält »Ich will« ebenfalls für höflich. Kindern wird oft gesagt: »*Ich will* gibt's schon mal gar nicht, das heißt *Ich möchte bitte*!« Bringen wir unseren Kindern hier die falsche Höflichkeit bei, oder spülen wir sie nur weich?

Antwort des Zwiebelfischs: Sehr geehrter Leser, das ist eine ausgesprochen hübsche Frage, und es wird mir ein Vergnügen sein, Ihnen darauf zu antworten. Die alte Anstandsregel »Es heißt nicht *Ich will,* sondern *Ich möchte bitte*« hat nach wie vor Gültigkeit, genauso wie es sich nach wie vor geziemt, älteren Menschen einen Sitzplatz anzubieten, für andere die Tür aufzuhalten, einem Gast in den Mantel zu helfen oder anderen den Vortritt zu lassen. Mit höflichen Umgangsformen werden wir nicht geboren, wir müssen sie erst erlernen, und das gilt für die meisten anderen Dinge auch. Kindern fällt das Lernen noch leicht, viele legen dabei große Begeisterung und Ausdauer an den Tag.
Lassen Sie Ihre Kinder wissen, dass es neben »Ich will« auch Formen gibt wie »Ich möchte bitte«, »Ich hätte gern« oder gar »Wenn es keine allzu großen Umstände bereitet, nähme/bekäme ich gern ...«. Erklären Sie ihnen, dass »Ich will« zwar zweifellos der direkteste Weg ist, dass die umständlicheren Formen mit Konjunktiv aber auf Dauer zu größerem Erfolg führen, da man im Leben nicht nur an sei-

nem Aussehen und seinen Noten, sondern auch an seinen Umgangsformen und seiner Sprache gemessen wird.

Nicht jeder hält den Konjunktiv als Höflichkeitsform für notwendig. Es gibt sogar Puristen, die sich über »Ich würde« und »Ich möchte« ereifern und jemanden, der sich der Formulierung »Ich möchte mich bei Ihnen bedanken« bedient, mit den Worten zurechtweisen: »Dann tun Sie es doch!« Doch das ist weder geistreich noch witzig, es ist einfach nur unhöflich. Selbst wenn einem eine Höflichkeitsfloskel umständlich oder überflüssig erscheint, besteht kein Grund, dem Bemühen um Höflichkeit mit einer Unhöflichkeit zu begegnen.

Einmal habe ich erlebt, wie eine ältere Dame im Supermarkt eine Verkäuferin ansprach: »Wo, bitte, fände ich bei Ihnen wohl geräucherten Schinken?« Die Verkäuferin blickte verständnislos. Die Dame fuhr freundlich fort: »Wenn Ihr Geschäft ihn denn im Sortiment hätte.« Da schnaubte die Verkäuferin: »Hätte, hätte, Fahrradkette. Wolln Se nun Schinken oder nicht?«

Von Weichspülen kann darüber hinaus keine Rede sein, denn die Beherrschung des Konjunktivs ist eine ziemlich harte Nuss! Sie zu knacken, ist äußerst lohnend, und man kann nicht früh genug damit beginnen. Natürlich muss man nicht jedes »Ich will« durch ein »Ich möchte« ersetzen. Das Lied von Gitte Hænning »Ich will alles« wäre unter dem Titel »Ich möchte bitte alles« vermutlich kein Hit geworden, und auch ihre frühere Nummer »Ich will 'nen Cowboy als Mann« tat gut daran, nicht »Ich hätte gern 'nen Cowboy als Mann« zu heißen. Dass dem »Ich will« sogar etwas Weihevolles innewohnen kann, beweist die Formel, mit der man das Ehegelübde ablegt. Die klänge nicht halb so gut, wenn

Braut und Bräutigam auf die Frage aller Fragen jeweils erwiderten: »Ja, ich möchte gern.«
Wenn es um das Formulieren einer Absichtserklärung geht, ist »Ich will« angemessen. Wann immer es aber um eine Bitte geht, ist Höflichkeit geboten, und sprachliche Kennzeichen der Höflichkeit sind nach wie vor der Konjunktiv und das kleine Wörtchen »bitte«.

Höflichkeit macht sich bezahlt! Manchmal schon bei einer einfachen Tasse Kaffee. An einem Kaffeeausschank entdeckte ich mal eine Preistafel, auf der stand:

Kaffee = 5 €
Guten Tag, einen Kaffee = 2,50 €
Guten Tag, einen Kaffee bitte = 1,25 €

Mit »Guten Tag, ich möchte bitte einen Kaffee« ließe sich der Preis womöglich um weitere 25 Cent reduzieren. Einen Versuch wäre es wert.

Verwandte Themen:
»Das Imperfekt der Höflichkeit« (»Dativ«-Band 2)
»Der traurige Konjunktiv« (»Dativ«-Band 2)
»Entschuldigen Sie mich, sonst tu ich es selbst« (»Dativ«-Band 3)
»Wenn man könnte, wie man wöllte« (»Dativ«-Band 4)
»Siezt du noch, oder duzt du schon?« (»Dativ«-Band 4)
»Sei oder wäre?« (»Dativ«-Band 5)

Ode an den Konjunktiv

Wär der Konjunktiv wieder in,
Gebrauchte ich ihn permanent!
Ich fühlte mich darin
Ganz in meinem Element.
Die Energie der Möglichkeit
Brächte mich auf Trab.
Ich würfe die Vergangenheit
Einfach von mir ab.

Ich zöge los und ginge,
Wohin ich immer wollte,
Und täte lauter Dinge,
Auch die, die ich nicht sollte.

Ich spielte und gewönne;
Verlör ich, dann nicht viel.
Ich würbe und begönne
Manch zartes Liebesspiel.

Ich flöge bis nach Afrika,
Wo ich einen Berg erklömme.
Und wäre ich schon einmal da,
Dann schwämme ich – o nein: ich schwömme –
Vom Festland bis nach Sansibar.
Und bräche den Rekord sogar.

Ich kostete und ich probierte,
Wo immer ich auch grad spazierte.
Das Tolle wär, dass mir alles bekäme,
Was immer ich auch zu mir nähme!

Ich fräße, söffe und genösse,
Und zwar alles drei zugleich!
Ich stritte, schlüge, und ich schösse
Und erschüfe mir ein eignes Reich!
Darin schwelgte ich und schwölle
Zu nie gekanntem Glanz.
Und stürb ich dann und führ zur Hölle,
Dann nur auf einen kurzen Tanz.

Denn mit dem Konjunktiv zwei
Wär ich im Nu wieder frei
Und spönne mir alles
Aufs Neue herbei!

Bitte, danke, bitte?

Was hat es mit dem Wort »bitte« auf sich, mit dem man ein »danke« erwidert? Worum bittet man da? Und warum eigentlich? Man wurde doch selbst um etwas gebeten. Handelt es sich einfach nur um ein Echo auf das »bitte« des Bittenden oder steckt mehr dahinter?

Am Sonntag nach Neujahr waren meine Freundin Sibylle und ich mit unseren Fahrrädern unterwegs. In Hamburg ist das Fahrradfahren nicht überall ein Vergnügen, an einem Tag wie diesem muss man sich die Wege mit Horden von Spaziergängern teilen, die wie in einer großen Völkerwanderung um die Alster ziehen. Manchmal wird es eng, dann steigt man besser ab. Tritt ein Fußgänger höflich zur Seite, sage ich freundlich »Danke!«, was gelegentlich mit einem »Bitte!« erwidert wird. Es klingt allerdings mehr wie »Büdde«, denn wir sind schließlich in Hamburg.
»Warum sagt man das eigentlich?«, will Sibylle plötzlich wissen. »Was meinst du?«, frage ich. »Na, ›bitte‹ eben! Worum wird da *gebittet*?«
Eine gute Frage! Was hat es mit dem Wort »bitte« auf sich, mit dem man ein »danke« erwidert?

> »Kannst du mir bitte mal den Senf rüberreichen!«
> »Selbstverständlich! Hier, bitte sehr!«
> »Danke!«
> »Bitte!«

Drei Mal »bitte«, und keines ist wie das andere. Das erste ist klar: Dass man eine Bitte mit dem Wort »bitte« versieht, ist eigentlich selbstverständlich. Oder sollte es zumindest sein. Weshalb aber erwidert der Gebetene oder der Bedankte seinerseits mit »bitte«, wahlweise gestreckt zu »bitte sehr« oder

»bitte schön«? Man könnte es für ein Echo auf das »bitte« des Bittenden halten, doch in Wahrheit steckt mehr dahinter.

Das zweite »bitte« ist die Verkürzung von »Ich bitte Sie« oder »Ich bitte dich«, gefolgt von einem (gedachten) Halbsatz wie »kein Aufhebens davon zu machen« oder »meinem Gefallen keine Bedeutung beizumessen«. Darum sagt mancher auch etwas länger: »Ich bitte Sie, das war doch selbstverständlich!« oder »Ich bitte Sie, das ist doch nicht der Rede wert!« Der höfliche Bedankte erwidert den Dank mit der Bitte, sich nicht zu bedanken.
Etwas so vollkommen Höfliches und Ritterliches wurde wahrscheinlich nicht in Deutschland erfunden. Einiges spricht dafür, dass wir diese Formel von den Meistern der eleganten Form, den Franzosen, übernommen haben. Auch im Französischen kann der Dank (»Merci!«) mit einer Bitte erwidert werden: »Je vous en prie!« Und auch hier ist die Bedeutung: »Bitte danken Sie mir nicht.«

Dass diese Bedeutung immer weniger Menschen bewusst ist, mag der Grund dafür sein, dass »bitte« zunehmend aus der Mode gerät. Im Dienstleistungssektor hat ihm längst ein anderes Wort den Rang abgelaufen, und zwar das Wörtchen »gerne«.
Mit »gern« oder »gerne« können offenbar mehr Menschen etwas anfangen als mit »bitte«. Wer kann sich heute noch vorstellen, dass man sich einst zu derartiger Bescheidenheit verstieg und darum bat, keinen Dank zu bekommen? Heute ist jede Servicekraft selbstbewusst genug, den Dank für ihre Dienste anzunehmen. Im Stil amerikanischer Überkandidelei wird jovial darauf hingewiesen, dass man es »gern« getan habe. So ist aus der alten Formel »bitte → danke → bitte« mittlerweile »bitte → danke → gerne« geworden.

Die geläufigere französische Erwiderung auf einen Dank ist »de rien«, zu Deutsch: »für nichts«. Auch dies wurde ins Deutsche übernommen, meistens als »keine Ursache«.
Als wir auf unserer Fahrradtour eine kleine Rast in einem Alstercafé einlegen, lädt Sibylle mich zu einer heißen Schokolade mit Sahne ein. Auf meinen Dank entgegnet sie in schönstem Hamburgisch: »Da nicht für!«

Weiteres zu Sprache und Höflichkeit:

»Das Imperfekt der Höflichkeit« (»Dativ«-Band 2)
»Entschuldigen Sie mich – sonst tu ich es selbst« (»Dativ«-Band 3)
»Immer wieder einmal gerne« (»Dativ«-Band 4)
»›Ich will‹ oder ›Ich möchte bitte‹?« (in diesem Buch auf S. 144)

Unerfülltes Futur II

Im November stellte ein Leser die Frage, ob es richtig sei, zu behaupten, Willy Brandt *wäre* im Dezember 100 Jahre alt *geworden*. Denn der Dezember sei ja noch gar nicht gekommen. Grund genug für den Zwiebelfisch, sich ein paar Gedanken über unerfüllbare Möglichkeiten in der vollendeten Zukunft zu machen.

Einen Monat vor dem 100. Geburtstag Willy Brandts erreichte mich die Frage eines Lesers, der über einen Satz in der Hausmitteilung des »Spiegels« gestolpert war. Dort hieß es: »Willy Brandt, Bundeskanzler von 1969 bis 1974, wäre am 18. Dezember 100 Jahre alt geworden.« Hätte man, so der Leser, nicht schreiben müssen »... würde am 18. Dezember 100 Jahre alt werden«, da doch der 18. Dezember erst noch bevorstand?

Das war eine dieser Fragen, die mich mit Sicherheit ein weiteres graues Haar gekostet hätten, wenn ich damals schon graue Haare gehabt hätte haben können.

Tatsächlich haben wir es hier mit einer sehr bemerkenswerten Vermischung aus vollendeter Zukunft und unerfüllter Möglichkeitsform zu tun. Nennen wir es mal das »unerfüllte Futur II«.
Über das, was in der Zukunft stattfinden wird oder unter Umständen hätte stattgefunden haben können, lässt sich trefflich spekulieren. Der »Spiegel« entschied sich dabei für eine Zeit-Modus-Formel, die in der Vergangenheit spielt. Denn wann immer jemand etwas »geworden wäre«, handelt es sich um eine Möglichkeit in der Vergangenheit.
Das Erleben des 100. Geburtstags Willy Brandts allerdings war zu diesem Zeitpunkt, im November 2013, noch eine

Möglichkeit in der Zukunft. Daher wäre eine Formulierung im Futur angebracht gewesen. Korrekt hätte man – wie vom Leser vermutet – schreiben müssen: »Willy Brandt würde am 18. Dezember 100 Jahre alt werden.«
Man könnte das »werden« sogar weglassen und schlicht und einfach formulieren: »Willy Brandt würde am 18. Dezember 100 Jahre alt«; denn »würde« ist ja bereits der Konjunktiv von »werden«. »Er würde 100« und »Er würde 100 werden« sind gleichbedeutend. Die kürzere Form ist die gehobene, die längere ist – wie so oft – die umgangssprachliche.

Nun scheint es allerdings Usus zu sein, bei jeglichem Nicht-Erreichen eines runden Geburtstags von »wäre … geworden« zu sprechen, egal ob dieser Geburtstag in der Vergangenheit oder in der Zukunft liegt – oder gar heute ist:

Unter dem unvermeidlichen Motto: »Elvis lebt!« titelte die »Bild«-Zeitung am 8. Februar 2015: »Heute wäre der King 80 Jahre alt geworden!« Nicht etwa »Heute würde der King 80 Jahre alt« oder »Heute wäre der King 80 Jahre alt«. Das hypothetische 80-, 90- oder 100-Jahre-alt-Werden wird in der Presse stets von einem »geworden« begleitet. Wenn man die Wortkombination »wäre geworden« googelt, erhält man fast ausschließlich Treffer, die auf Geburtstage von Verstorbenen verweisen.
So wird es gewöhnlich gehandhabt, und weil die Leser es nicht anders kennen, wird es auch selten in Frage gestellt. Dabei sieht die Sache im Falle des in einem Monat 100 Jahre alt geworden wärenden (?) Willy Brandt in Wahrheit noch viel komplizierter aus:
Weil das Erreichen eines Geburtstags einer abgeschlossenen Handlung entspricht (weshalb man beim 18. Geburtstag auch gern von der »Vollendung des 18. Lebensjahres« spricht), hätte man das Ganze sogar mit Fug und Recht

im Futur II ausdrücken können, sprich: in der vollendeten Zukunft – »Er wird 100 Jahre alt geworden sein«. Auch das hätte allerdings im Konjunktiv geschehen müssen, denn da Willy Brandt nicht mehr lebt, kann er nie mehr 100 Jahre alt »geworden sein werden«. Es bleibt beim »würde«. Anders ausgedrückt: Die Möglichkeit der Vollendung des 100. Lebensjahres bleibt für Willy Brandt auch dann unerfüllt, wenn sie vollendet sein wird. In dieser vollendeten und doch unerfüllten Zukunft hieße es dann: »Willy Brandt würde am 18. Dezember 100 Jahre alt geworden sein.«
Das erscheint aber selbst hartgesottenen Deutschkennern zu gewagt, in der Praxis jedenfalls kommt diese Form der unerfüllten Möglichkeit im vollendeten Futur nicht vor. Vielleicht *würde* sie dort irgendwann einmal *vorgekommen sein,* wenn sie leichter auszudrücken gewesen sein würde.

Hier muss ich an Mark Twain denken, der 1880 in einem liebevoll-spöttischen Traktat über »die schreckliche deutsche Sprache«* feststellte: »... danach erst kommt das Verb, und man erfährt zum ersten Mal, wovon dieser Mensch überhaupt redet; und hinter dieses Verb – nur so als Verzierung, soweit ich erkennen kann – schaufelt der Autor noch ›haben sind gewesen gehabt haben geworden sein‹ oder irgendein ähnliches Wortcollier, und fertig ist das Denkmal.«

Das Denkmal für Willy Brandt ist längst errichtet, und sein 100. Geburtstag ist mittlerweile schon wieder Geschichte. Mir stellt sich nun die Frage, ob ich wohl seinen 125. Geburtstag noch erleben werde – also den Tag, an dem Willy

* Originaltitel »The Awful German Language«, erschienen 1880 im Anhang des Reisebuchs »A Tramp Abroad« in Hartford, Connecticut, bei der American Publishing Company. Deutsch von Kim Landgraf, 2010.

Brandt 125 Jahre alt geworden sein würde. Oder geworden wäre oder gewesen worden sein würde. Na, ich frage lieber nicht.

Er wird 100 Jahre alt.		
	Indikativ (Wirklichkeitsform)	**Konjunktiv II (Möglichkeitsform)**
Präsens	Er wird heute 100 Jahre alt.	Er würde heute 100 Jahre alt.
Präteritum	Er wurde gestern 100 Jahre alt.	Er wäre gestern 100 Jahre alt geworden.
Futur I	Er wird morgen 100 Jahre alt werden.	Er würde morgen 100 Jahre alt werden.
Futur II	Er wird dann 100 Jahre alt geworden sein.	Er würde dann 100 Jahre alt geworden sein.

Weiteres zum Gebrauch der Zeiten:

»Das Ultra-Perfekt« (»Dativ«-Band 1)
»Das Imperfekt der Höflichkeit« (»Dativ«-Band 2)
»Die unendliche Ausdehnung der Gegenwart« (»Dativ«-Band 5)
»Was gewesen war« (»Dativ«-Band 5)

Nach gutem alten Brauch oder nach gutem altem Brauch?

Frage eines Lesers aus Frankfurt am Main: Wir rätseln seit Tagen über eine Formulierung. Ein Lektor behauptet, der Satz »mit anschließende**m** gemeinsame**m** Abendessen« sei richtig, wir anderen aber finden, dass sich »mit anschließende**m** gemeinsame**n** Abendessen« besser anhört. Was ist tatsächlich richtig? Für eine Antwort wären wir Ihnen sehr verbunden!

Antwort des Zwiebelfischs: Sehr geehrter Leser, zu Ihrer Frage fallen mir gleich noch weitere ein: Treffen wir uns »bei schönem, warmem Wetter« oder »bei schönem, warmen Wetter«? Tafeln wir »mit feinem französischem Champagner« oder »mit feinem französischen Champagner«? Dies sind Fragen, die mir immer wieder gestellt werden und die ich mir bisweilen selbst stelle. Ihr Anliegen ist also von höchste**m** allgemeine**m** Interesse und verdient eine exemplarische Antwort. Dabei habe ich für Sie eine gute und eine schlechte Nachricht. Die schlechte zuerst: Der Lektor hat – nach neuesten Erkenntnissen – recht. Das dürfen Sie ihm aber bitte nicht übel nehmen, fürs Rechthaben werden Lektoren schließlich bezahlt. Und nun die gute: Ihr Gefühl, das andere sei richtig, ist durchaus berechtigt. Sie sind es so gewohnt, weil Sie es – genau wie ich und viele andere, die älter als 30 sind – noch so gelernt haben.

Bei Reihungen von Adjektivattributen vor einem männlichen oder sächlichen Dativobjekt (also Eigenschaftswörtern, die vor einem Hauptwort im dritten Fall stehen) gilt es zwischen **Aufzählung** und **Spezifizierung** zu unterscheiden.

Bei einer **Aufzählung** sind beide Glieder gleichwertig und werden mit Komma oder »und« getrennt. Und da sie gleichwertig sind, werden sie auch gleich gebeugt: »mit frische**m,** gesunde**m** Gemüse«. Das galt auch schon früher, auf jeden Fall zu Zeiten von Thomas Mann, der ein Meister im Aneinanderreihen von Adjektiven war. Für Aufzählungen im Dativ liefert er zahlreiche klangvolle Beispiele:

> *Pastor Wunderlich langte an, ein untersetzter alter Herr in lange**m**, schwarze**m** Rock.* (»Buddenbrooks«)
>
> *Als Morten Schwarzkopf bald nach dem Mittagessen mit seiner Pfeife vor die Veranda trat, um nachzusehen, wie es mit dem Himmel bestellt sei, stand ein Herr in lange**m**, enge**m**, gelbkarierte**m** Ülster und grauem Hute vor ihm.* (»Buddenbrooks«)
>
> *Jener Stämmige, im Gürtelanzug und mit schwarze**m**, pomadisierte**m** Haar, der »Jaschu« gerufen wurde, …* (»Der Tod in Venedig«)

Eine andere Form der Aneinanderreihung von Eigenschaftswörtern ist die **Spezifizierung.** Hier sind die einzelnen Glieder nicht gleichberechtigt. Das zweite Eigenschaftswort und das Hauptwort bilden eine Einheit, das erste Eigenschaftswort bestimmt diese Einheit; ein Komma oder »und« wäre sinnentstellend. Nehmen wir als Beispiel »feinen französischen Champagner«. Das ist keine Aufzählung, denn es handelt sich nicht um Champagner, der sowohl französisch als auch fein ist. Es ist eine Spezifizierung: »französisch« und »Champagner« bilden ein Einheit, und beides zusammen ist »fein«. (Es handelt sich darüber hinaus um eine Tautologie, denn Champagner ist immer französisch und unter allen Schaumweinen der feinste, aber das soll uns hier nicht weiter stören.)

In diesen Fällen galt früher die Regel, dass im Falle eines dritten Falles das erste Glied stark gebeugt wird und das folgende schwach. »Stark« bedeutet mit einem »m« am Ende, »schwach« mit »n«. Also: »mit feine**m** französische**n** Champagner«.
Auch hierfür liefert Thomas Mann höchst elegante Beispiele:

> *Eine Flut von weiße**m** elektrische**n** Licht ergoss sich breit in den Saal.* (»Wälsungenblut«)

> *Sie trägt eine Art von lange**m**, mit braunem Pelz besetzte**n** Abendmantel.* (»Buddenbrooks«)

> *Er … stieg mit leichten und beherrschten Bewegungen aus dem offenen Wagen auf den gewalzten, mit feine**m** gelbe**n** Sande bedeckten Erdboden hinab …* (»Königliche Hoheit«)

Ihr Beispiel, verehrter Leser, wäre bei Thomas Mann zu einer Zusammenkunft »mit anschließende**m** gemeinsame**n** Abendessen« geworden, da es sich nicht um eine Aufzählung, sondern um eine Spezifizierung handelt.
Die alte Regel verlangte ihren Anwendern einiges ab, denn man musste den Unterschied zwischen einer Aufzählung und einer Spezifizierung kennen, um sich in »einwandfreie**m**, fehlerlose**m** Deutsch« ausdrücken zu können. Nur dann bewegte man sich »auf sichere**m** grammatische**n** Terrain«.

Kein Wunder also, dass sich schon seinerzeit nicht alle mit dieser Regel anfreunden mochten. Alfred Döblin, ein Zeitgenosse Thomas Manns, nahm es mit der Unterscheidung nicht so genau. Manchmal beugte er in Aufzählungen stark und schwach, dafür in Spezifizierungen gleichmäßig stark:

*Am Stock kam sie auf Slawata zu, burgunderrotes Gesicht vor weiße**m** lose**m** Haar, das auf einen glatten viereckigen Kragen fiel.* (»Wallenstein I«)

*... saß barhäuptig ... der blonde Pfalzgraf, perlmutterweiß die Haut, halbschlafend, die ausgestreckten langen Beine in losen Stulpen, mit Spitzen verziert, die offene Jacke aus blaue**m** gepreßte**m** Samt ...* (ebd.)

*... und als er aufwachte, stand Marie mit frische**m**, rote**n** Gesicht vor ihm.* (»Amazonas – 3. Der neue Urwald«)

Diese »Ungereimtheiten« tun Döblins literarischer Virtuosität keinen Abbruch, sie zeigen lediglich, dass die Regel schon immer ein Fall persönlicher Auslegung war. Dies ist wohl der Grund, weshalb man sich bei der dritten deutschen Rechtschreibreform (1996) entschloss, die alte Unterscheidung abzuschaffen. Anders als ihr Name vermuten lässt, wurden bei der Reform nämlich nicht nur die Rechtschreibregeln erneuert. Es gab auch ein paar Änderungen bei der Zeichensetzung und in der Grammatik. Und eine dieser Änderungen betrifft Sätze mit gelegentliche**m** doppelte**n** Dativ, die seitdem Sätze mit gelegentliche**m** doppelte**m** Dativ sind. Im Duden-Band 9 über »Richtiges und gutes Deutsch« erfährt man unter der Überschrift »Besonderheiten der Adjektivdeklination«:

Die frühere Regel, dass in diesen Fällen beim Dativ Singular das zweite Adjektiv schwach gebeugt werden müsse (bei dunklem bayerischen Bier), gilt nicht mehr.

Heute werden die Endungen allesamt angeglichen, egal, ob es sich um eine Aufzählung oder um eine Spezifizierung handelt. Das finden viele bedauerlich, weil damit eine weitere stilistische Feinheit und Unterscheidungsmöglichkeit verlorengeht. Und wer es einmal anders verinnerlicht hat, wird sich nur schwer an die nivellierte Form gewöhnen. Wir haben es damals noch anders gelernt, darum kam Ihnen »mit anschließendem gemeinsamem Abendessen« falsch vor. Es ist heute aber richtig. Jedenfalls laut Duden. Ein anderes Standardwerk der deutschen Sprache sieht dies anders. Der Wahrig vermerkt zu ebendieser Frage in der zuletzt 2002 neu aufgelegten »Grammatik der deutschen Sprache« trotzig:

Grundsätzlich gilt die Regel, dass Doppelkennzeichnung der starken Deklination als hyperkorrekt empfunden und daher vermieden wird.

Für den Wahrig heißt es weiterhin »mit feine**m** französische**n** Champagner«.
Hyperkorrekt oder klassisch-korrekt, Wahrig oder Duden – da stehen wir nun mit zwei sich widersprechenden Aussagen und sind so klug als wie zuvor. Ich empfehle Ihnen daher Folgendes:

Wenn es sich um eine Aufzählung handelt, beugen Sie zweimal stark, denn das war offenbar immer schon richtig:

> bei schönem, warmem Wetter
> nach langem, schwerem Leiden

Handelt es sich um eine Spezifizierung, bleibt es Ihrem Gefühl überlassen, ob Sie es auf die klassische Art mit Thomas Mann halten und das zweite Glied schwach beugen oder ob Sie mit der Reformmode gehen und auch hier beide Adjektive gleich stark beugen.

Sie haben also die freie Wahl zwischen

> mit anschließende**m** gemeinsame**m** Abendessen (modern-hyperkorrekt) oder
> mit anschließende**m** gemeinsame**n** Abendessen (klassisch-korrekt)

und ich wäre der Letzte, der Sie davon abhielte, sich für die klassische Form zu entscheiden.
Lehrer und Lektoren sind allerdings dazu angehalten, sich nach den reformierten Regeln zu richten, und die sehen in allen Fällen mit anschließendem gemeinsamem Abendessen gleichmäßige starke Beugung vor.

Dass es überhaupt dazu kam, das zweite Glied schwach zu beugen, liegt an der Ähnlichkeit zu jenen Phrasen, bei denen das erste Glied ein Artikel oder ein Pronomen ist. Stehen diese im Dativ, wird das folgende Adjektiv stets schwach gebeugt:

> in einem kühlen Grunde
> (nicht: in einem kühlem Grunde)
> von meinem besten Freund
> (nicht: von meinem bestem Freund)
> mit manchem schönen Lied
> (nicht: mit manchem schönem Lied; dafür aber: mit manch schönem Lied)
> bei allem guten Willen
> (nicht: bei allem gutem Willen, und erst recht nicht: bei allem gutem Willem)

Hier galt praktisch schon immer, dass ein starkes »m« genügt. Doch es finden sich immer wieder Beispiele, die zeigen, dass manche auch mit den einfachsten und ältesten Regeln überfordert sind. So wie dieser Programmhinweis aus der Fernsehzeitschrift »Prisma«, der nicht nur in grammatischer, sondern auch in geografischer Hinsicht neue Maßstäbe setzt:

20.00 Tagesschau
20.15 Die Elbe
Dokumentation
Die Sendung begleitet die Elbe auf ihrem 727 Kilometer langem Weg in die Ostsee.

Mehr zum Thema Beugung:

»Das Verflixte dieses Jahres« (»Dativ«-Band 1)
»Wir Deutschen oder wir Deutsche?« (»Dativ«-Band 2)
»Ohne jegliches sprachliche(s) Gefühl« (»Dativ«-Band 4)
»Honeckers letzte(n) Tage in Deutschland« (»Dativ«-Band 5)
»Meines Onkel(s) Tom(s) Hütte« (in diesem Buch auf S.65)

Gibt es richtiger als richtig?

Frage eines jungen Lesers aus Vogtsburg (Baden-Württemberg): Ich bin Schüler der Kursstufe 1 und setze mich im Rahmen der Unterrichtseinheit »Textgebundene Erörterung« viel mit Zeitungsartikeln auseinander. Dabei fallen mir ständig seltsame Wendungen und Wörter auf. Einen Fall will ich nun beispielhaft herausgreifen und um Ihre Hilfe bitten. Es geht um den Komparativ und Superlativ des Wörtchens »richtig«. Zuerst habe ich meine Deutschlehrerin gefragt, doch diese wusste nicht so recht weiter und musste plötzlich ganz schnell weg …
Auch im Internet lässt sich keine eindeutige Antwort finden. Die ablehnende Seite begründet ihre Position mit der Sinnfreiheit dieser Steigerung. Eine Antwort könne nicht *richtiger* sein als eine andere.
Die Befürworter lassen sich nicht auf philosophische Fragen ein, ihnen ist es egal, ob die Steigerung sinnvoll ist oder nicht. Solange die allgemeine Steigerungsregel *…er – am …sten* funktioniere, könne man das Adjektiv auch steigern. Bitte bringen Sie Licht ins Dunkel und erklären Sie mir, welche Lösung richtig ist.

Antwort des Zwiebelfischs: Das ist eine richtig spannende Frage, zu der Sie bereits eine Menge recherchiert haben. Drei Positionen haben Sie gefunden: Da war zunächst die Position Ihrer Lehrerin, die weggelaufen ist. Grundsätzlich ist diese Position richtig, denn bei solch spitzfindigen Fragen hilft manchmal nur, Reißaus zu nehmen. Dann die zweite Position, die besagt, dass eine Steigerung von richtig nicht richtig sei. Diese Position ist vermutlich richtiger als die Ihrer Lehrerin, denn eine Position zu beziehen ist immerhin mehr, als sich aus dem Staub zu machen. Und schließlich die dritte Position, die besagt, dass im Prinzip jedes Adjektiv gesteigert werden könne. Diese Position ist – meiner Meinung nach – die richtigste.

Es ist – wie so oft – zunächst einmal eine Frage der Definition. Wenn Sie – wie in der Mathematik – »richtig« als Gegenteil von »falsch« definieren und eine Antwort nur das eine oder das andere sein kann, dann ist »richtig« ein Absolutum und nicht verhandelbar, also auch nicht steigerbar.

Wenn Sie »richtig« aber im Sinne von »genau«, »zutreffend« oder »wahrhaftig« definieren, also weniger mathematisch, dafür mehr literarisch, dann lässt es sich sehr wohl steigern.

> *»Du bist ja ein richtiger kleiner Künstler!«, stellte Tante Dorothea mit Entzücken fest, als sie die Malerei ihres Neffen betrachtete. Dann bemerkte sie die vielen Kleckse auf dem Tisch und seinem Hemd und fügte hinzu: »Und ein noch richtigerer Schmierfink!«*

Im Unterschied zur Mathematik gibt es in der Sprachwissenschaft nicht bloß richtig oder falsch, nicht nur Schwarz oder Weiß, sondern viele Schattierungen und Wahrheiten dazwischen. Das beste Beispiel liefert der Duden. Dort werden uns seit der Rechtschreibreform in vielen Fällen zwei Schreibweisen angeboten: eine alte, klassische – die nach wie vor Bestand hat, also »richtig« ist. Dann die neue, wie sie an den Schulen gelehrt wird – die folglich »richtiger« sein muss. Und wer sich zwischen alter und neuer Rechtschreibung nicht entscheiden kann, für den hält der Duden eine gelb unterlegte Empfehlung parat. Diese Form wäre – zumindest aus Sicht der Duden-Redaktion – »die richtigste« von allen.

Ein Beispiel: Als ich zur Schule ging, wurde das Ortsadverb »zu Hause« stets in zwei Wörtern geschrieben. Das fand ich unlogisch, sogar ungerecht im Vergleich zum süddeutschen »daheim«, das zusammengeschrieben wurde. Dann kam die berüchtigte Rechtschreibreform von 1996, und plötzlich durfte man »zuhause« zusammenschreiben. Das fand ich prima! Endlich Gleichberechtigung von norddeutschem »zuhause« und süddeutschem »daheim«. Zehn Jahre später, 2006, wurde die Reform noch einmal gründlich reformiert, und »zuhause« wurde plötzlich wieder in der Getrenntschreibung zugelassen. Die alte Form »zu Hause« ist also wieder richtig, die neue Form »zuhause« ist zwar richtiger, da reformiert, doch da der Duden die alte Form empfiehlt, ist »zu Hause« am richtigsten.

Es ist richtig, dass sich (fast) jedes Adjektiv steigern lässt. Es ist ebenso richtig, dass nicht jede Steigerung sinnvoll ist. Das Einzige wird – zum Einzigsten gesteigert – nicht einzigartiger, hört sich aber für viele Menschen (besonders an Rhein und Ruhr) offenbar vertrauter an.
Und ebenso richtig ist, dass eine Steigerung, die uns bei nüchterner Betrachtung als nicht sinnvoll erscheint, dennoch eine literarische Berechtigung haben kann – als stilistisches Mittel, um eine Übertreibung hervorzuheben oder eine Abstufung zu schaffen, wo bislang keine gesehen wurde. So lassen sich sämtliche Farbadjektive steigern, und selbst aus Schwarz und Weiß lassen sich die »weißeste Pracht« und die »schwärzeste Nacht« gewinnen.

Sogar das Adjektiv »tot« lässt sich steigern, und zwar im scherzhaften Gebrauch (wenn »tot« im Sinne von »ausgestorben«, »nix los« verwendet wird):
»Nach 18 Uhr ist das Dorf wie tot. Der Nachbarort ist noch toter. Aber am totesten ist es in Helmstedt. Toter geht's nicht!«

In der Hoffnung, Ihnen damit ein wenig Licht und nicht noch dunkleres Dunkel gebracht zu haben, grüßt Sie Ihr Zwiebelfisch.

Weiteres zu Vergleichsformen:

»Brutalstmöglichst gesteigerter Superlativissimus« (»Dativ«-Band 1)
»Schöner als wie im Märchen« (»Dativ«-Band 1)
»Geradewegs auf die schiefe Ebene« (»Dativ«-Band 4)

Von Viertel nach acht bis viertel neun

Deutschland ist in verschiedene Zeitzonen unterteilt. Überall beginnt die »Tagesschau« pünktlich um acht. Doch während sie im Westen um Viertel nach acht endet, endet sie im Osten und Süden um viertel neun. Und wenn es bei allen fünf vor zwölf ist, dann ist es in Sachsen »fünf vor um zwölf«. Sie finden, jetzt schlägt's aber 13? Meine Freundin Sibylle findet das auch.

Als ich letztens mit Sibylle telefonierte, erzählte sie mir, dass sie über Ostern zu einer alten Freundin nach Stuttgart fahren werde. »Dann vergiss nicht, ihr ein paar Marzipaneier aus Lübeck mitzubringen!«, sagte ich. »Vor allem darf ich nicht vergessen, meine Zeitumrechnungstabelle mitzunehmen«, brummte Sibylle, »sonst bin ich rettungslos verloren« – »Eine Zeitumrechnungstabelle?«, fragte ich nach; »wozu denn das?« – »Na, bei den Schwaben gehen die Uhren doch anders! Die sagen so komische Sachen wie ›es ist viertel sechs‹ oder ›Frühstück gibt's bis drei viertel zehn‹, und dann sitzt du da um 10:45 Uhr im Frühstücksraum und es gibt nicht mal mehr einen Kaffee!« – »Ich verstehe. Weil drei viertel zehn nicht 10:45 Uhr ist, sondern 9:45 Uhr, also Viertel vor zehn.« – »Eben!«, sagte Sibylle; »und genau aus diesem Grund brauche ich meine Zeitumrechnungstabelle, weil ich mir das nie merken kann. Was, bitte, ist *viertel zwölf*? Viertel vor zwölf? Viertel nach zwölf?« – »Weder noch, ich glaube, es ist Viertel nach elf.« – »Siehst du? Die ticken doch nicht richtig, die Schwaben!«

Wenn man ins Flugzeug steigt und Richtung Osten fliegt, nach Riga oder Athen, muss man seine Uhr um eine Stunde vorstellen; wenn man Richtung Westen fliegt, nach London oder Lissabon, muss man sie um eine Stunde zurück stellen. Wenn man aber in Deutschland von Norden nach Süden reist, muss man die Uhr von »Viertel nach zwölf« Hamburger Zeit auf »viertel eins« Stuttgarter Zeit umstellen. Tatsächlich scheint es so, als wäre unsere Republik in verschiedene Zeitzonen unterteilt.

Es sind längst nicht nur die Schwaben, bei denen die Uhren in einem anderen Vierteltakt gehen. Das Gebiet, in dem 20:15 Uhr zu »viertel neun« wird, erstreckt sich von Baden-Württemberg über Franken, Thüringen, Sachsen, Sachsen-Anhalt, Brandenburg und Berlin bis nach Mecklenburg. Es umfasst also weite Teile des deutschen Südens und den kompletten Osten. Auch Pommern und Ostpreußen gehörten einst dazu. Das »Viertel nach«-Gebiet erstreckt sich im Westen der Republik, von Rheinland-Pfalz bis Schleswig-Holstein. In Bezug auf die Uhrzeiten sind die Deutschen seit Urzeiten geteilt. In Bayern sagte man früher noch »viertel auf neun«, und etwas weiter östlich, im westlichen Österreich, kann man für 20:15 Uhr noch vereinzelt die Zeitangabe »viertel über acht« hören. Die bairischen Varianten mit »auf« und »über« scheinen aber zugunsten des standardsprachlichen »vor« und »nach« zu verschwinden. Eine weitere Variante hält die Schweiz bereit: Dort sagt man statt »Viertel nach acht« auch »Viertel ab acht«. Das hört sich allerdings nicht so an, wie es hier steht, denn der Schweizer spricht es »Viertu ab achti«.
Die Stundenunterteilung »viertel«, »halb« und »drei viertel« geht auf ein mittelalterliches Zählsystem zurück, bei dem Brüche mit Blick auf die nächste volle Zahl gebildet wurden. So entstand auch das Wort »anderthalb« für 1½, das wörtlich »die Hälfte vom anderen, Zweiten« bedeutet.

»So schwierig ist das doch gar nicht«, versuchte ich Sibylle Mut zu machen, »du musst dir einfach eine Sanduhr vor-

stellen. Bei der Zählung *viertel, halb, drei viertel* sieht man die angebrochene Stunde wie in einer Sanduhr langsam immer voller werden. Denk dir jeweils ein ›von‹ dazu, mach aus ›viertel zehn‹ also ›viertel von zehn‹ und aus ›drei viertel zwölf‹ entsprechend ›drei viertel von zwölf‹, dann weißt du immer, was gemeint ist.« – »Wenn es damit schon getan wäre!«, seufzte Sibylle. »Die Schwaben haben bei der Uhrzeit noch ganz andere Turnübungen drauf. Meine Freundin verwirrt mich gern mit Zeitangaben wie *fünf nach viertel drei* oder *zehn vor drei viertel elf.*« – »Fünf nach viertel drei? Lass mich kurz überlegen. Das wäre für uns wohl zwanzig nach zwei. Und zehn vor drei viertel elf … hm … das wäre fünf nach halb elf.« – »Siehst du,« sagte Sibylle, »und darum brauche ich meine Zeitumrechnungstabelle! Schlimm genug, dass ich die Schwaben oft nicht verstehe, da will ich wenigstens die Uhrzeiten kapieren.«
Ob Viertel nach acht oder viertel neun – die eine Zählweise ist nicht weniger logisch als die andere. Wie bei den meisten Dingen ist es vor allem eine Frage der Gewöhnung und der Übung. So wie ich mich daran gewöhnen muss, dass man die Viertel in »Viertel vor« und »Viertel nach« großschreibt, in »viertel neun« und »drei viertel neun« hingegen klein. Und wer jetzt glaubt zu wissen, was es geschlagen hat, der muss nur nach Sachsen kommen. Dort gehen die Uhren nämlich noch mal anders:

»Wie spät ist es?«, fragte ich meine sächsische Freundin Moni einmal, als wir zusammen in einem Café in Chemnitz saßen. Moni sah auf die Uhr und sagte: »Es ist gleich um!« Ich blickte sie erstaunt an: »Es ist *um*? Was soll das heißen? Meinst du, die Kaffeezeit ist um?« Moni lachte: »Das vielleicht auch. Aber vor allem ist es gleich um sechs.« Ich war verunsichert: »Meinst du, es ist gleich sechs, oder irgendetwas um sechs Uhr herum?« Moni erklärte: »In Sachsen sagt man *um sechs*, wenn es sechs Uhr ist.« – »Faszinierend!«, raunte ich; »und wenn es bei uns fünf vor zwölf ist, ist es dann bei dir *fünf vor um zwölf*?« – »Genau«, erwiderte Moni, »das ist die typische sächsische Zeitangabe. *Um sechs* bedeutet *genau sechs, Punkt sechs*. Um und Punkt ist dasselbe. Das kannst du dir leicht merken, denk einfach an *Punktum*!« Da hatte ich wieder etwas gelernt! Seitdem zähle ich beim Silvester-Countdown auf die sächsische Art. Wie das geht? Ganz einfach, sprechen Sie mir nach: drei ... zwei ... eins ... um!

Offizielle Zeitangabe	Nordwestdeutschland	Süd- und Ostdeutschland
9:00 Uhr	neun Uhr	neun Uhr
9:05 Uhr	fünf nach neun	zehn vor viertel zehn
9:10 Uhr	zehn nach neun	fünf vor viertel zehn
9:15 Uhr	Viertel nach neun	viertel zehn
9:20 Uhr	zwanzig nach neun	fünf nach viertel zehn
9:25 Uhr	fünf vor halb zehn	zehn nach viertel zehn
9:30 Uhr	halb zehn	halb zehn
9:35 Uhr	fünf nach halb zehn	zehn vor drei viertel zehn
9:40 Uhr	zwanzig vor zehn	fünf vor drei viertel zehn
9:45 Uhr	Viertel vor zehn	drei viertel zehn
9:50 Uhr	zehn vor zehn	fünf nach drei viertel zehn
9:55 Uhr	fünf vor zehn	zehn nach drei viertel zehn (eher unüblich)

Weiteres zu regionalsprachlichen Unterschieden:

»Was vom Apfel übrig blieb« (»Dativ«-Band 2)
»Von Knäppchen, Knäuschen und Knörzchen« (»Dativ«-Band 3)
»Ein Hoch dem Erdapfel« (»Dativ«-Band 3)
»Der Butter, die Huhn, das Teller« (»Dativ«-Band 3)
»Wo holen seliger denn nehmen ist« (»Dativ«-Band 4)
»Ich hab noch einen Koffer in Berlin zu stehen« (»Dativ«-Band 4)
»Ziehen Sie die Brille aus!« (»Dativ«-Band 5)
»Kesse Wecken, dufte Schrippen« (»Dativ«-Band 5)

Wo die Eieruhr ein Kurzzeitmesser ist

In meiner Welt ist eine Glühbirne eine Glühbirne und ein Wasserhahn ein Wasserhahn. Doch wenn ich in einen Drogeriemarkt, ein Kaufhaus oder einen Baumarkt gehe, betrete ich ein Paralleluniversum, in dem die Dinge des alltäglichen Lebens ganz anders heißen. Da wird die Glühbirne zum Leuchtmittel und der Wasserhahn zur Einhandhebelmischer-Spültischarmatur.

Achtung, Kinder, aufgepasst! Wisst ihr, was ein Kinderschreck ist? Wenn nicht, dann sollt ihr ihn jetzt kennenlernen! Vor ein paar Tagen stand ich bei meiner Mutter in der Küche und leistete ihr Gesellschaft, während sie einen ihrer berühmten Quarkkuchen zauberte. »Reich mir doch bitte mal den Kinderschreck«, bat sie, als sie sich anschickte, den fertigen Teig aus der Schüssel in die Kuchenform zu gießen. Ich wusste natürlich sofort, was sie meinte. Ein Griff in die Schublade, und schon hatte ich ihn, jenen handlichen Küchenhelfer, der seinen Namen aus gutem Grunde trägt. Was gibt es schließlich Köstlicheres für ein Kind, als die Schüssel mit dem Kuchenteig auszuschlecken? Und was könnte eine größere Enttäuschung bereiten als ein Küchengerät aus Holz und Gummi, mit dem die Mutter die Schüssel so gründlich auskratzen kann, dass nur noch klägliche Reste übrig bleiben? »Der sieht aber schon reichlich lädiert aus«, stellte ich fest. Meine Mutter demonstrierte mir, dass er noch immer seine Wirkung tat: In der Schüssel waren allenfalls noch Spurenelemente vom Teig auszumachen. Ich beschloss trotzdem, ihr bei nächster Gelegenheit einen neuen Kinderschreck zu schenken.

Bevor ich ihn auf meine Einkaufsliste setzte, recherchierte ich vorsichtshalber im Internet, wie er denn wohl im Handel genannt wird. Nicht dass ich später in der Haushaltswarenabteilung wieder Unverständnis erntete; so wie damals, als ich nicht wusste, wie der Plural von Wischmopp lautet. Also überlegte ich, wie der Kinderschreck wohl »amtlich« heißen mag. Rührschüsselauskratzer? Nein, das klang zu kindlich. Teigschaber? Das konnte es sein. Und unter diesem Stichwort wurde ich auch fündig. »Teigschaber, Teigspatel, Teigverteiler, Griff aus Buche, sofort kaufen für 3,95 Euro« las ich auf der Seite eines Versandhandels. Auf die Bezeichnung »Teigverteiler« wäre ich als Letztes gekommen. Aber das passiert mir häufig. Da glaubt man, Dinge sein Leben lang zu kennen, und muss feststellen, dass sie in Wahrheit ganz anders heißen.

Aber was heißt »in Wahrheit«? Kinderschreck ist meine Wahrheit. »Teigverteiler« ist die Wahrheit eines anderen, vermutlich eines Angestellten der Industrie, der dafür bezahlt wird, sich für Dinge des alltäglichen Lebens unalltägliche Handelsbezeichnungen auszudenken. Im Laufe der Zeit haben sich Handel und Industrie ein sprachliches Paralleluniversum erschaffen – ähnlich wie der Staat mit seinem Beamtendeutsch oder wie dic Mediziner mit ihrem

Fachchinesisch. Immer wenn man ein Haushaltswarengeschäft, einen Elektrohandel oder einen Drogeriemarkt betritt, öffnet sich die Pforte zu diesem Paralleluniversum und alle Dinge heißen plötzlich anders.

In der Haushaltsabteilung meines Supermarktes heißt die Eieruhr nicht Eieruhr, sondern »Kurzzeitmesser«. Der Bieröffner ist ein »Kapselheber«, und der praktische Pümpel, den man zur Hand nimmt, wenn ein Abfluss verstopft ist, ist eine »Haushaltssaugglocke«. Wer mit dem Wort Pümpel nichts anzufangen weiß, kennt das Gerät vielleicht unter der Bezeichnung Gummistopfer, Stopfstecken, Plöppel, Hebamme oder Klostampfer. Einige nennen es auch Fluppi. Die großen Versandhäuser im Internet haben natürlich hinzugelernt. Weil viele Menschen nach den einfachen Dingen des Lebens mit den dazugehörigen einfachen Wörtern suchen, haben die Anbieter ihre Produkte mit zahlreichen umgangssprachlichen Begriffen verknüpft. Auch die Worte »Pümpel«, »Pömpel« und »Gummistampfer« führen inzwischen zielstrebig zu Verkaufsangeboten für Haushaltssaugglocken. Mit dem Wort »Kinderschreck« klappt das noch nicht, was aber vermutlich daran liegt, dass meine Mutter die Einzige ist, die den Teigschaber so nennt. (Einige kennen ihn auch als »Kinderfeind«, »Geizkragen«, »Schwabenlöffel« oder unter der Bezeichnung »Schlesinger«, benannt nach dem Schlesinger-Knochen, dem Schulterblattfortsatz des Kalbes, der in früheren Zeiten als Teigschaber verwendet wurde.)

Ein ähnliches volkstümliches Wort ist der »Küchenfreund«, eine inzwischen aus der Mode geratene Bezeichnung für den Pfannenwender (der wiederum auch Pfannenmesser, Schlitzwender, Backschaufel, Bratenwender oder Bratschaufel genannt wird).

Seit meine Mitarbeiterin Katharina Mutter geworden ist, lernt sie ständig neue Wörter aus dem Paralleluniversum kennen. Einmal suchte sie zum Beispiel im Internet nach Angeboten für Schnuller, und was sie fand, war das Wort »Beruhigungssauger«. Wenn mir das nächste Mal im Hotel ein Staubsauger die Ruhe raubt, werde ich es mal mit einem Beruhigungssauger probieren.

Eine wahre Wunderwelt unglaublicher Wörter tut sich dem fachlich unbedarften Kunden im Baumarkt auf. »Doppelschlitzschraubendreher« lese ich dort andächtig, oder »Einhandhebelmischer-Spültischarmatur«. Das Wort ist so lang, dass es auf der Regalbeschriftung nicht mal in eine Zeile passt. Mir hätte »Wasserhahn« gereicht …

Ich suche nach einem Waschbeckenstöpsel und erfahre, dass es dafür sogar drei Handelsbezeichnungen gibt: Abflussstopfen, Ablaufstopfen oder Exzenterstopfen. Nur »Waschbeckenstöpsel« nicht. Und die gewöhnliche Heftzwecke, auch als Reißzwecke, Reißnagel, Wanze oder Pinne bekannt, heißt in meinem Baumarkt »Reißbrettstift«. Warum Stift?, werden Sie fragen, damit kann man doch nicht schreiben? Nun, ein Stift muss auch nicht unbedingt schreiben können, es ist zunächst einmal ein längliches, dünnes, am Ende zugespitztes Stück Metall oder Holz, das zwecks Befestigung in etwas hineingetrieben wird. Die Industrie kennt jede Menge Stifte und Nägel, aber die gemeine Zwecke kennt sie nicht. Was aber nicht heißen muss, dass die Suche nach Heftzwecken im Baumarkt zwecklos wäre. Der freundliche Herr an der Information kennt das Wort selbstverständlich und ist in der Lage, es für Sie in Baumarktdeutsch zu übersetzen.

An das Wort »Reißbrettstift« werde ich mich ebenso wenig gewöhnen wie an den »Beruhigungssauger«. Und auch an den Unterschied zwischen Lampen und Leuchten nicht. In der Fachsprache ist eine Lampe nicht das Ganze, was da von der Decke baumelt oder in der Ecke steht, sondern nur jener Teil im Inneren, der für die eigentliche Lichterzeugung sorgt. Was in meiner Welt eine Glühbirne oder ein Halogenstrahler ist, ist im Paralleluniversum eine Lampe oder auch ein Leuchtmittel. Und was bei mir eine Lampe ist, ist in jener anderen Welt eine Leuchte. Ginge es nach Handel und Industrie, wäre Aladins Wunderlampe eine Wunderleuchte.

Als ich mich vor Jahren einmal in der Elektroabteilung eines Kaufhauses an einen Verkäufer wandte und erklärte, dass ich eine neue Birne für meine Leselampe brauche, klärte er mich mit den Worten auf: »Sie meinen sicher eine neue Lampe für Ihre Leseleuchte«; und fügte etwas selbstgefällig hinzu: »Birnen bekommen Sie in unserer Lebensmittelabteilung.«

Mag sein, dass die Handelsbezeichnungen genauer sind als die Benennungen des Volksmunds. Strohhalme heißen im Handelsdeutsch Trinkhalme, was dem Produkt zweifellos eher gerecht wird, denn die wenigsten Strohhalme sind heute noch aus Stroh. Und das, was viele unter einem »Gummiband« verstehen, heißt im Handel »Gummiring«, denn unter »Gummiband« versteht der Handel ein elastisches Nähband. Handelsbezeichnungen können aber auch irreführend sein. Karstadt bietet Wäschetrockner für 39,99 Euro an. Das hört sich toll an. Doch wer da glaubt, er könne das Schnäppchen seines Lebens machen und günstig an einen vollautomatischen Trockner von Miele oder Siemens kommen, der wird enttäuscht, denn der Wäschetrockner entpuppt sich als simpler Wäscheständer. Und wenn es irgendwo günstige »Sportjacken« gibt, kann es durchaus sein, dass damit gewöhnliche Unterhemden

gemeint sind. In der Textilbranche werden Unterhemden nämlich Jacken genannt.
Es kommt ja auch immer mal wieder etwas Neues auf den Markt, so wie jenes Küchenutensil, bestehend aus einer Metallkappe an einem langen Stiel, das für die »Entdeckelung« von Frühstückseiern gedacht ist. Ich hätte es vielleicht »Eierköpfer« oder »Eieröffner« genannt. Der Handel nennt es aber anders: Eierschalensollbruchstellenverursacher. Das ist komisch, aber kein Witz!

Vor Kurzem war ich in einem Drogeriemarkt, um eine jener kleinen kreisrunden Bürsten aus Plastik zu erwerben, die ich so sehr liebe, weil man sich damit prima die Haare waschen und gleichzeitig die Kopfhaut massieren kann.
Ich war auf alle möglichen Handelsbezeichnungen gefasst: von »Plastikrundbürste« über »Kopfmassagebürste« bis hin zu »Haarpflegemittelverteiler«. Umso überraschter war ich, als ich die Regalbeschriftung las: »Haarigel« hieß es dort, schlicht und bildlich zugleich. Na bitte, dachte ich, es geht also auch anders. Willkommen in meiner Welt!

Verwandte Themen:

»Wie nennt man das Ding an der Kasse?« (»Dativ«-Band 2)
»Leichensäcke aus dem Supermarkt« (»Dativ«-Band 1)
»Eine Klobrille namens Maren« (in diesem Buch auf S. 61)

Vokabeltest: Testen Sie Ihr Handelsdeutsch!

Alltagssprache	Handelsbezeichnung
Bügelbrett	Bügeltisch
Büroklammer	Briefklammer
Eieröffner, Eierköpfer	Eierschalensollbruchstellenverursacher
Eieruhr	Kurzzeitmesser, Kurzzeitwecker
Filzstift	Faserschreiber, Fasermaler
(Bier-)Flaschenöffner	Kapselheber
Glühbirne	Leuchtmittel, Lampe
Gummiband	Gummiring
Heftzwecke	Reißbrettstift
Kalender	Jahresplaner
Lampe	Leuchte
Mülleimer	Abfallsammler, Abfallbehälter
Putzschwamm	Topfreiniger, Padschwamm
Rasensprenger	Regner, z. B. Vielflächenregner, Viereckregner oder Versenkregner
Schnuller	Beruhigungssauger
Schnürsenkel	Schuhsenkel
Schraubenzieher	Schraubendreher
Strohhalm	Trinkhalm
Unterhemd	Sportjacke
Wäscheständer	Wäschetrockner
Waschbeckenstöpsel	Abflussstopfen, Ablaufstopfen, Exzenterstopfen
Wasserhahn	Ventil, Einhandhebelmischer, Einhandspültischarmatur

Smile :-)

Viele Menschen sind überzeugt davon, dass wir nicht allein im All sind. Sie glauben an die Existenz fremder Besucher aus fernen Welten. Unsinn? Keineswegs, denn die fremden Besucher sind längst unter uns! Überall grinsen, zwinkern, feixen und staunen sie uns entgegen. »Emoticons« werden sie genannt, Gesandte vom Planeten Lol aus dem Sternbild Sonderzeichen. Ganze Heerscharen von ihnen sind dabei, unsere Welt im Sturm zu erobern.

Alles begann im September 1982, als ein amerikanischer Informatiker der Carnegie-Mellon-Universität in Pittsburgh seinen Kollegen empfahl, aus den Satzzeichen Doppelpunkt, Bindestrich und rechter Rundklammer ein – auf der Seite liegendes – lachendes Gesicht zu bilden, um scherzhafte Äußerungen zu markieren. :-)
Auf diese Weise sollten Missverständnisse vermieden werden. Denn Informatiker neigen oft zu Ironie, und mit der Ironie ist es bekanntlich so, dass sie nicht von jedem als solche erkannt wird. Die Empfehlung des Pittsburgher Gelehrten gilt als Geburtsstunde der sogenannten Emoticons: Kombinationen aus Satzzeichen, Zahlen und Buchstaben, die Gefühlszustände wie Heiterkeit, Erstaunen und Empörung zum Ausdruck bringen.
Eigentlich hatte alles bereits im Dezember 1963 begonnen, als ein amerikanischer Werbegrafiker von einem Versicherungsunternehmen beauftragt wurde, ein Motiv für eine Anstecknadel zu entwerfen, mit der man das Betriebsklima verbessern wollte. Für ein einmaliges Honorar in Höhe von 45 Dollar entwarf er ein stilisiertes lächelndes Gesicht, das aus zwei Punkten und einem gebogenen Strich in einem gelben Kreis bestand. Dies gilt als Geburtsstunde des Smileys.

Womöglich hatte alles sogar noch viel früher begonnen, denn Strichmännchengesichter, die aus Satzzeichen zusammengesetzt wurden, waren unter Grafikern und Setzern schon im 19. Jahrhundert bekannt und zierten manche Fachzeitschrift. Doch erst dank der Computer und des Internets wurden sie schließlich zu einem Massenphänomen. Meine ersten E-Mails schrieb ich Ende der 90er-Jahre. Und schon früh machte ich Bekanntschaft mit dem lachenden :-) und dem zwinkernden Gesicht ;-). Dabei bleib es jedoch nicht. In den E-Mails meiner Freunde und Kollegen tauchten immer neue Emoticons auf.
Da gab es solche, die recht verkniffen dreinschauten =(
den Mund verzogen :/
oder mir frech die Zunge rausstreckten :-p
Es gab wütende mit zusammengezogenen Augenbrauen >:(
und traurige, bei denen eine Träne floss :'(
Und es gab das teuflische Grinsen 3:D
Ich muss gestehen, dass ich irgendwann den Überblick verlor. Die Emoticons vermehrten sich wie Gremlins; und das fast überall auf der Welt. Ganz besonderer Beliebtheit erfreuen sie sich in Japan, was auf der Hand liegt, da die Japaner durch ihre figurale Schrift von jeher Strichzeichen gewohnt sind. Ganze Legionen japanischer Emoticons wurden erschaffen, und der auffallendste Unterschied zu den hier bekannten ist, dass die Gesichter nicht auf der Seite liegen. Das japanische Zeichen für ein offenes Lachen ist (^_^) und das Zeichen für Weinen ist (;_;). Sind neben dem Lachen noch zwei hochgestreckte Arme zu sehen \(^_^)/, so bedeutet dies »Banzai!«, sinngemäß: »Hurra!« Bemerkenswert auch das Zeichen für einen Menschen, der Kopfhörer trägt: d(^_^)b

Für viele Menschen sind Emoticons zu einer unerlässlichen Verzierung ihres Stils geworden. Eher lassen Sie in einer E-Mail die Anrede oder die freundlichen Grüße weg, als dass sie auf ein Emoticon verzichten würden. In vielen Kurzkommentaren und Forumseinträgen sieht es so aus, als hätten die Strichmännchengesichter die herkömmliche Interpunktion abgelöst. Je mehr Emoticons dem Leser entgegengrinsen oder -zwinkern, desto geringer die Wahrscheinlichkeit, dass irgendein Komma an der richtigen Stelle steht.

Mein anfängliches Interesse an der Strichgesichterkultur hat sich mit der Zeit verflüchtigt. Über die meisten Emoticons lese ich heute emotionslos hinweg. Doch es gibt auch immer wieder Fälle, wo die Zeichen wieder zu Wörtern werden und man zwischen Sternchen *lach* liest, *breitgrins*, *hihi*, *grummel* oder *hüstel*. Das erinnert einen an Comicsprache, und die gilt immerhin als ein eigenes künstlerisches Genre. Drollige Formen wie *verwirrtguck* oder *rotwerd*, *dahinschmelz* oder *im-Boden-versink-vor-Scham* sind vielleicht noch nicht geeignet, um die Festrede bei der Verleihung des Friedenspreises des deutschen Buchhandels zu garnieren, doch zeugen sie von einer gewissen Befähigung zur Wortspielerei, und das ist mehr, als jedes lächelnde Strichgesicht jemals über einen Menschen aussagen könnte.

Längst sind wir nicht mehr auf Kommas, Punkte und Klammern angewiesen, um unsere Gefühle in Textnachrichten und Kommentaren zum Ausdruck zu bringen. Moderne Programmiertechnik hat dafür gesorgt, dass jede SMS und jeder Facebook-Eintrag auf Wunsch mit einer lachenden, weinenden, gähnenden, verwirrten, schamerfüllten oder wutgeröteten Fratze verziert werden kann:

😃😞😪😌😠

Welch großartige Neuerung! Denn seien wir mal ehrlich: Ohne Emoticons wäre unsere Sprache doch völlig ausdruckslos! (Das war ironisch gemeint, und ich hoffe, meine Leser sind in der Lage, das auch ohne ein zwinkerndes Strichgesicht zu erkennen.)

In den Schreibprogrammen unserer Computer sind die gelben Gesichter inzwischen fest verankert. Nach dem letzten Update war bei mir plötzlich die Funktion »Sonderzeichen« verschwunden. Ich verspürte bereits einen leichten Anflug von Panik, denn auf Besonderheiten wie æ, ij und č will ich nicht verzichten müssen. Zu meiner großen Erleichterung stellte sich heraus, dass die Sonderzeichen noch da waren, nur hießen sie jetzt anders, nämlich: »Emoji und Symbole«. Der Software-Hersteller hat das Update zum Anlass genommen, sämtliche Umlaute, Klammern, Akzente und sonstigen Sonderzeichen (einschließlich der griechischen Buchstaben) im Handstreich zu degradieren und sie den neu hinzugekommenen Bildzeichen unterzuordnen. »Emoji« sind übrigens nicht nur Strichgesichter, sondern Bildzeichen aus allen Bereichen des Lebens wie Ernährung (🍺), Reisen (✈️) und Natur (🌻). Auch Gestirne, Tiere, Wettersymbole und Länderfahnen zählen dazu. Emoji ist japanisch und bedeutet »Bildschriftzeichen«. Vielleicht kündigt sich hier bereits ein künftiges Stadium unserer Schriftsprache an: Statt mit langweiligen, eintönigen Wörtern schreiben wir mit lustigen bunten Bildchen! Dann können unsere Texte irgendwann selbst von Japanern verstanden werden. Ein kleiner Vorgeschmack gefällig?

Sie: Hallo 🐰!

Er: Hallo 🐝!

Sie: Was machst du gerade?

Er: 💤. Und du?

Sie: 💅! 👀 wir uns nachher?

Er: 😃

Sie: Kommst du mit 🚕 oder 🚴?

Er: 🚶

Sie: Was willst du 🍴? 🍉 🍎 oder 🍳?

Er: 🍟 + 🍔!

Sie: Und was machen wir danach? 🎲 oder ❤️?

Er: 📺

Sie: Lass uns vorher noch 📞, ok?

Er: 👍

Sie: 💋💋💋

Er: 😍

Ich muss zugeben, ich bin kein großer Freund von Symbolen. Ich trage auch keine T-Shirts, auf denen »liebe« durch ein Herz ersetzt ist. Ich war nie gut im Deuten von Zeichen. Auf meinem Computer verwechsle ich ständig die Symbole für Browser, Vorschau, Mailprogramm und Bildbearbeitung. Worte wären mir lieber: »Mail« statt einer Briefmarke, »Internet« statt eines Kompasses, »Foto« statt einer Prilblume. Aber das ist meine ganz persönliche Schwäche; die meisten Menschen kommen mit Symbolen bestens klar und haben dafür eher mit Worten Probleme.

Kein Wunder also, dass die Emoticons und die Emoji weiter auf dem Vormarsch sind. In einer Pressemeldung teilte die

Internetplattform Instagram mit, dass nahezu jeder zweite auf Instagram veröffentlichte Eintrag ein Emoji enthalte. Abkürzungen wie LOL (»laughing out loud« = laut lachen) und OMG (»O my God« = O mein Gott) würden dafür seltener. Am Emoji-freundlichsten seien die Finnen. Sie verwendeten in fast zwei Drittel aller Einträge auf Instagram ein Bildzeichen. Die Deutschen lägen mit 47 Prozent auf Platz vier. Das Schlusslicht bilde Tansania, wo nur zehn Prozent der Texte mit einem Emoji versehen seien.

Wenn es mir hier eines Tages zu ❤️❤️❤️❤️ wird und ich mich zwischen all den 😃 😞 😪 wie ein 👽 fühle, wandere ich eben nach 🇹🇿 aus.

Mehr zum Thema Internetjargon:

»E-Mail for you« (»Dativ«-Band 2)
»Kein Bock auf nen Date?« (»Dativ«-Band 3)

Wie beugt man hinter »etliche«?

Frage eines Deutschlehrers aus Ungarn: Sehr geehrter Herr Sick, zusammen mit einer Kollegin erstelle ich Arbeitsblätter für Deutschlernende zu aktuellen Themen. In unserem neuesten Arbeitsblatt geht es um den Eurovision Song Contest 2015 als eine Show der Superlative. Daher der in Superlativen »schwelgende« Sprachduktus im nachfolgenden Satz:

»Die faszinierende Beleuchtungsgestaltung mit unglaublichen Lichteffekten und dazu die ideenreichen, in Farben überbordenden Animationen vieler Songs sowie etliche die Songs begleitenden artistischen bzw. tänzerischen Darbietungen ließen den ESC zu einem absoluten Genuss werden.«

Meine Kollegin meint, es müsse »etliche die Songs begleitende artistische bzw. tänzerische Darbietungen« heißen. Hat sie recht?

Antwort des Zwiebelfischs: Sehr geehrter Leser, der Satz hat es wahrlich in sich. Wolf Schneider hätte ihn gründlich auseinandergenommen und gefragt, warum es bürokratisch-behäbig »Beleuchtungsgestaltung« heißen müsse und nicht einfach »Lichtgestaltung«, welche genaue Bedeutung das umgangssprachliche »unglaublich« habe, warum man eine komplizierte Drei-Wort-Formel wie »in Farben überbordend« wählen musste statt des griffigen Wortes »farbenprächtig« und warum Lieder in einem deutschen Text nicht mehr Lieder genannt werden dürfen. Er hätte Ihnen vorgeschlagen, mindestens die Hälfte an überflüssigem Ballast abzuwerfen und es hiermit zu versuchen:

»Die faszinierende Lichtgestaltung, die ideenreichen, farbenprächtigen Inszenierungen der einzelnen Lieder, begleitet von etlichen geradezu artistischen Tanzdarbietungen, ließen den ESC zu einem wahren Genuss (oder auch: zu einem einzigartigen Spektakel) werden.«

Das beantwortet aber Ihre Frage nicht. Darum kehren wir also zu Ihrem Ausgangstext zurück:

»etliche die Songs begleitende(n) artistische(n) bzw. tänzerische(n) Darbietungen«

Starke oder schwache Beugung, das ist hier die Frage. Die schwache Beugung erkennt man an der Endung auf »n«, die starke kommt ohne »n« aus, weshalb man sie wohl auch »stark« genannt hat.
Ob bei den Attributen »begleitend«, »artistisch« und »tänzerisch« starke oder schwache Beugung gefragt ist, hängt davon ab, welches Wort ihnen vorangeht.

Das kann ein bestimmter Artikel sein (»die«), ein Pronomen (»meine«, »ihre«) oder etwas anderes. In diesem Fall ist es etwas anderes, nämlich das Mengenwort »etliche«.
Es gibt Mengenwörter, hinter denen schwach gebeugt wird, und andere, hinter den stark gebeugt wird. Und solche, hinter denen genauso gebeugt wird wie das Mengenwort selbst. Das nennt man »parallele Beugung«.
Hinter »etliche« wird parallel gebeugt. Das heißt, wenn »etliche« »schwach« wird und ein »n« bekommt (im Dativ zum Beispiel: »mit etlichen ...«, »bei etlichen ...«), dann bekommen auch die folgenden Attribute ein »n«. Wenn »etliche«

»stark« bleibt und ohne »n« auskommt, bekommen auch die nachstehenden Attribute keins. Die Phrase aus Ihrem Text lautet demnach korrekt: »etliche die Songs begleitende artistische bzw. tänzerische Darbietungen«.

Man kann sich das Ganze leichter verständlich machen, indem man den Satz reduziert. Nehmen wir zunächst nur »etliche Darbietungen« und fügen ein »tänzerisch« hinzu, dann haben wir:

> etliche tänzerische Darbietungen

Sie würden mir gewiss zustimmen, dass »tänzerischen« hier ungewöhnlich klänge.
Fügen wir nun weitere Attribute hinzu, so bleibt es bei der starken Beugung:

> etliche artistische oder tänzerische Darbietungen
> etliche die Songs begleitende artistische oder tänzerische Darbietungen

Aber: Stünde das Ganze im Dativ, würde »etliche« zu »etlichen« und die folgenden Attribute purzelten mit gleicher Beugung hinterdrein:

> mit etliche**n** die Songs begleitende**n** artistische**n** oder tänzerische**n** Darbietungen

In Ihrem Beispiel aber stand »etliche« im Nominativ, daher wird die gesamte Phrase gleichmäßig stark gebeugt, ohne »n«.

Es wäre aber nicht Deutsch, wenn es nicht auch noch komplizierter ginge. Nehmen wir mal an, hinter »etliche« stünde noch ein Artikel. Denn man kann sowohl »etliche Darbietungen« als auch »etliche der Darbietungen« sagen – die zweite Variante setzt die Darbietungen mitsamt ihren Attributen reizvollerweise in den Genitiv.

Nun gilt nicht mehr, was für »etliche« galt (also parallele Beugung), denn prompt richtet sich alles nach dem bestimmten Artikel (»die«, was im Genitiv zu »der« wird), und sämtliche Attribute tanzen brav nach dessen Pfeife. Und weil hinter bestimmtem Artikel schwach gebeugt wird, hieße Ihr Beispiel in diesem Falle korrekt: »etliche der die Songs begleitende**n** artistische**n** bzw. tänzerische**n** Darbietungen«.

Entweder mogeln Sie noch schnell ein »der« in den Satz, oder Sie geben sich Ihrer Kollegin geschlagen und laden Sie zu einem Essen ein – **mit etlichen** den Abend versüßende**n** köstliche**n** exotische**n** Cocktails (im Dativ) oder **auf etliche** den Abend versüßend**e** köstlich**e** exotisch**e** Cocktails (im Akkusativ).

Um die Verwirrung aber komplett zu machen, sei darauf hingewiesen, dass es neben »etliche« noch zahlreiche weitere Mengenwörter gibt, zum Beispiel »einige«, »wenige«, »viele«, »manche« und »keine« – und selbstverständlich gelten nicht für alle dieselben Regeln.

Hieße es in Ihrem Satz nicht »etliche«, sondern »sämtliche«, sähe die Sache schon wieder anders aus, denn hinter »sämtliche« wird schwach gebeugt:

> sämtliche die Songs begleitenden artistischen oder tänzerischen Darbietungen

Hinter »mehrere« hingegen wird stark gebeugt, hinter »manche« wiederum schwach. Worin da die Logik steckt? Das fragen Sie am besten diejenigen, die sich die deutsche Sprache ausgedacht haben.

Ich spüre, dass es Zeit für eine Tabelle ist. Ich bin ein erklärter Freund von Tabellen, und falls auch Sie dieser Übersichtsform etwas abgewinnen können, wird Ihnen die folgende hoffentlich hilfreich erscheinen. Herzlich grüßt Sie Ihr Zwiebelfisch

Weiteres zum Thema Beugung:

»Das Verflixte dieses Jahres« (»Dativ«-Band 1)
»Wir Deutsche oder wir Deutschen?« (»Dativ«-Band 2)
»Ohne jegliches sprachliche(s) Gefühl« (»Dativ«-Band 4)
»Honeckers letzte(n) Tage« (»Dativ«-Band 5)
»Nach gutem altem Brauch oder nach gutem alten Brauch?« (in diesem Buch auf Seite 156)
»Meines Onkel(s) Tom(s) Hütte« (in diesem Buch auf Seite 65)

Beugung hinter Mengenwörtern

Mengenwörter/ Pronomen und die davon abhängige Beugung	Nominativ	Genitiv	Dativ	Akkusativ
alle (schwach)	alle schönen neuen Dinge	trotz aller schönen neuen Dinge	mit allen schönen neuen Dingen	für alle schönen neuen Dinge
allerlei/ allerhand (stark)	allerlei schöne neue Dinge	trotz allerlei schöner neuen* Dinge	mit allerlei schönen neuen Dingen	für allerlei schöne neue Dinge
andere (parallel)	andere schöne neue Dinge	trotz anderer schöner neuer Dinge	mit anderen schönen neuen Dingen	für andere schöne neue Dinge
beide (schwach)	beide schönen neuen Dinge	trotz beider schönen neuen Dinge	mit beiden schönen neuen Dingen	für beide schönen neuen Dinge
diese/jene (schwach)	diese schönen neuen Dinge	trotz dieser schönen neuen Dinge	mit diesen schönen neuen Dingen	für diese schönen neuen Dinge
dieselben (parallel)	dieselben schönen neuen Dinge	trotz derselben schönen neuen Dinge	mit denselben schönen neuen Dingen	für dieselben schönen neuen Dinge
Dutzende (parallel)	Dutzende schöne neue Dinge	trotz Dutzender schöner neuer Dinge	mit Dutzenden schönen neuen Dingen	für Dutzende schöne neue Dinge
einige (stark)	einige schöne neue Dinge	trotz einiger schöner neuen* Dinge	mit einigen schönen neuen Dingen	für einige schöne neue Dinge
etliche (parallel)	etliche schöne neue Dinge	trotz etlicher schöner neuer Dinge	mit etlichen schönen neuen Dingen	für etliche schöne neue Dinge
folgende (parallel)	folgende schöne neue Dinge	trotz folgender schöner neuer Dinge	mit folgenden schönen neuen Dingen	für folgende schöne neue Dinge
Hunderte/ Tausende (parallel)	Hunderte schöne neue Dinge	trotz Hunderter schöner neuer Dinge	mit Hunderten schönen neuen Dingen	für Hunderte schöne neue Dinge
irgendwelche (schwach, im Genitiv Pl. stark möglich)	irgendwelche schönen neuen Dinge	trotz irgendwelcher schönen neuen Dinge/schöner neuen* Dinge	mit irgendwelchen schönen neuen Dingen	für irgendwelche schönen neuen Dinge
keine (schwach)	keine schönen neuen Dinge	trotz keiner schönen neuen Dinge	mit keinen schönen neuen Dingen	für keine schönen neuen Dinge

Mengenwörter/ Pronomen und die davon abhängige Beugung	Nominativ	Genitiv	Dativ	Akkusativ
manch (unveränderlich) (stark)	manch schöne neue Dinge	trotz manch schöner neuer Dinge	mit manch schönen neuen Dingen	für manch schöne neue Dinge
manche (schwach)	manche schönen neuen Dinge	trotz mancher schöner neuen* Dinge	mit manchen schönen neuen Dingen	für manche schönen neuen Dinge
mehrere (stark, im Genitiv Pl. schwach möglich)	mehrere schöne neue Dinge	trotz mehrerer schöner neuen* Dinge/schönen neuen Dinge	mit mehreren schönen neuen Dingen	für mehrere schöne neue Dinge
null (umgangsspr.) (stark)	null schöne neue Dinge	trotz null schöner neuer Dinge	mit null schönen neuen Dingen	für null schöne neue Dinge
sämtliche (schwach, im Genitiv Pl. stark möglich)	sämtliche schönen neuen Dinge	trotz sämtlicher schönen neuen Dinge/schöner neuen* Dinge	mit sämtlichen schönen neuen Dingen	für sämtliche schönen neuen Dinge
solche (schwach)	solche schönen neuen Dinge	trotz solcher schönen neuen Dinge	mit solchen schönen neuen Dingen	für solche schönen neuen Dinge
verschiedene (parallel)	verschiedene schöne neue Dinge	trotz verschiedener schöner neuer Dinge	mit verschiedenen schönen neuen Dingen	für verschiedene schöne neue Dinge
viele (parallel)	viele schöne neue Dinge	trotz vieler schöner neuer Dinge	mit vielen schönen neuen Dingen	für viele schöne neue Dinge
weitere (parallel)	weitere schöne neue Dinge	trotz weiterer schöner neuer Dinge	mit weiteren schönen neuen Dingen	für weitere schöne neue Dinge
welche (schwach)	welche schönen neuen Dinge	trotz welcher schönen neuen Dinge	mit welchen schönen neuen Dingen	für welche schönen neuen Dinge
wenige (parallel)	wenige schöne neue Dinge	trotz weniger schöner neuer Dinge	mit wenigen schönen neuen Dingen	für wenige schöne neue Dinge
zahlreiche (parallel)	zahlreiche schöne neue Dinge	trotz zahlreicher schöner neuen* Dinge	mit zahlreichen schönen neuen Dingen	für zahlreiche schöne neue Dinge
zwei (stark) (drei, vier etc. entsprechend)	zwei schöne neue Dinge	trotz zweier schöner neuen Dinge	mit zwei schönen neuen Dingen	für zwei schöne neue Dinge

* Gemäß neuer Regelung ist in diesen Fällen parallele Beugung möglich: schöner neuer Dinge; vgl. dazu »Nach gutem altem Brauch oder nach gutem alten Brauch?« in diesem Buch ab S. 156.

Leichte Sprache für alle?

Seit mehr als zehn Jahren gibt es die »Leichte Sprache« – eine famose Hilfe für Menschen, die nicht so gut Deutsch können. Weniger famos ist es, wenn plötzlich alle Bürger in »Leichter Sprache« angesprochen werden, so wie bei den jüngsten Wahlen in Bremen der Fall. Andererseits muss man nur die Zeitung aufschlagen oder das Fernsehen einschalten, um festzustellen: Leichte Sprache ist längst ein fester Bestandteil unseres Alltags – oder: von unserem All-Tag.

Vor elf Jahren richtete die Bremer Lebenshilfe für Menschen mit geistiger Behinderung das erste »Übersetzungsbüro« ein, dessen Aufgabe darin besteht, Texte aus allen möglichen Bereichen so zu bearbeiten, dass Menschen mit Beeinträchtigungen, Lernbehinderung oder Leseschwierigkeiten sie verstehen können. Ein viel gelobtes Projekt, das Schule machte. Mittlerweile gibt es in Deutschland mehr als 20 Einrichtungen, die Texte in sogenannte »Leichte Sprache« übertragen. Etliche Publikationen sind in den vergangenen zehn Jahren erschienen, darunter auch eine leicht verständliche Fassung der Passionsgeschichte.
Darin heißt es zum Beispiel: »Sie kommen zu dem Ort, an dem Jesus sterben muss. Die Soldaten machen Jesus mit Nägeln am Kreuz fest. Die Nägel sind in den Händen und Füßen von Jesus. Jesus leidet sehr.«

»Leichte Sprache« ist eine Sprache, wie man sie aus Bilderbüchern für Kinder im Vorschulalter kennt. Sie soll der Schlüssel sein, durch den Menschen, denen dies sonst schwer bis unmöglich wäre, Zutritt zu öffentlichen Informationen erhalten – und zum literarischen Volksschatz aus Bibelgeschichten, Sagen und Märchen.

Nach zehn Jahren sprang das Bundesministerium für Arbeit und Soziales auf den Zug auf und brachte einen Ratgeber zur »Leichten Sprache« heraus, der speziell für Angestellte im öffentlichen Dienst konzipiert ist: für Mitarbeiter von Ämtern und Behörden, für Entwickler und Gestalter öffentlicher Internetseiten und für Organisatoren von Veranstaltungen, an denen Menschen mit Behinderungen teilnehmen.
Dass Ämter und Behörden von oberster Stelle dazu angehalten werden, in leicht verständlichem Deutsch zu schreiben, ist eine Sensation. Schon ohne den Zusatz »leicht«, also einfach nur »in verständlichem Deutsch«, wäre eine Sensation. Natürlich hat mich diese Broschüre neugierig gemacht, und weil jeder Interessierte ein Exemplar anfordern kann, habe ich mir den »Ratgeber Leichte Sprache« zuschicken lassen. Neugierig schlug ich ihn auf.
»Vermeiden Sie Fremd-Wörter«, las ich dort und: »Verzichten Sie auf Abkürzungen«. Beides fand sogleich meine Zustimmung, meiner Meinung nach sollte das nicht nur für den Umgang mit Lernbehinderten gelten.
»Schreiben Sie kurze Sätze. Machen Sie in jedem Satz nur eine Aussage«, hieß es weiter. Der Satz »Wenn Sie mir sagen, was Sie wünschen, kann ich Ihnen helfen« sei schlecht. Gut hingegen sei: »Ich kann Ihnen helfen. Bitte sagen Sie mir: Was wünschen Sie?« Bis hierhin konnte ich dem Ratgeber folgen. Auf Seite 30 aber verschlug es mir den Atem:

»Vermeiden Sie den Genitiv«, hieß es dort, gefolgt von einem Beispiel: »Schlecht: Das Haus des Lehrers. Gut: Das Haus von dem Lehrer.«
Nun war es also amtlich: Der Genitiv ist schlecht!

Das Vorwort des Ratgebers – ich korrigiere: das Vorwort von dem Ratgeber – hatte Ursula von der Leyen geschrieben. Mit der war ich mal zusammen in einer Sendung bei Beckmann. Da war sie eigentlich ganz nett. Wer hätte gedacht, dass die mir so in den Rücken fallen würde …

Und wenn schon der Genitiv ins Reich des Schlechten verbannt wurde, dann konnte es um den Konjunktiv kaum besser bestellt sein. Und richtig: »Vermeiden Sie den Konjunktiv« lautete die nächste amtliche Empfehlung, wiederum mit einem Beispiel versehen: »Schlecht: Morgen könnte es regnen. Gut: Morgen regnet es vielleicht.«

Im Vorwort schrieb die Ministerin: »Ich würde mich freuen, wenn Sie als Mitarbeiterinnen und Mitarbeiter der öffentlichen Verwaltung diesen Leitfaden nutzen und seine Ratschläge bei der Erstellung von Texten berücksichtigen.« Da wurde ich sogleich stutzig, denn für eine Broschüre über »Leichte Sprache« war das ein viel zu langer Satz. Noch dazu mit einem Höflichkeitskonjunktiv (»würde mich freuen«). Wenn das nicht im Widerspruch zum Ratgeber stand!

Die »Mitarbeiter und Mitarbeiterinnen« tauchten übrigens noch mehrmals in der Broschüre auf. Wenn allerdings Einfachheit das oberste Gebot sein soll, hätte »Mitarbeiter« genügt, die »-innen« hätte man sich sparen können. Denn wo der Genitiv die Menschen überfordert, da wird die permanente Doppelnennung beider Geschlechter nicht gerade zum leichteren Verständnis beitragen.

»Benutzen Sie einfache Wörter!« rät die Broschüre weiter und nennt als Beispiel: »Schlecht: genehmigen. Gut: erlauben«. Da wird sich mancher Behördenmitarbeiter im Anschluss an die Lektüre wohl kräftig einen »erlauben«.

Besonders auffällig tritt die »Leichte Sprache« bei Wortzusammensetzungen in Erscheinung, denn hier wird grundsätzlich zur Schreibweise mit Bindestrich geraten: Das Wörterbuch wird zum Wörter-Buch, die Tageskarte zur Tages-Karte und der Arbeitgeber zum Arbeit-Geber

Auch wenn der Bindestrich das Wort um ein Zeichen länger macht und der zweite große Anfangsbuchstabe grafische Unruhe erzeugt, scheinen die Experten überzeugt, dass Wörter mit Bindestrich von Menschen mit Leseschwierigkeiten leichter zu erfassen sind als zusammengeschriebene. Nehmen wir das mal so hin.
Dennoch blieben mir Zweifel: Wenn man sprachliche Aspekte wie Genitiv und Konjunktiv kategorisch ausschloss, wurde damit den Betroffenen nicht die Chance genommen, diese jemals kennenzulernen? Fand hier nicht eine Bevormundung der Zielgruppe statt?

Eine Leserin, die mit Menschen mit Einschränkungen zusammenarbeitet, schrieb mir, dass sie gute Erfahrungen mit der »Leichten Sprache« gemacht habe. Dennoch würden ihre Mitarbeiter auf den Genitiv bestehen. Sie finden »Papas Haus« einfacher als das »Haus vom Papa«.

»Leichte Sprache« mag hilfreich sein, dort wo sie gebraucht wird. Problematisch wird es, wenn versucht wird, sie allen Bürgern überzustülpen. Bei den Wahlen zur Bremer Bürgerschaft im Mai 2015 wurden erstmals alle Unterlagen in »Leichter Sprache« verfasst. Viele Bremer trauten ihren Augen nicht, als sie in ihrem Briefkasten ein amtliches Informationsschreiben fanden, auf dem sie in »Leichter Sprache« angesprochen wurden. Da wurden Staatsbürger zu Staats-Bürgern und Stimmzettel zu Stimm-Zetteln. Und man las: »Sie haben 5 Stimmen. Das bedeutet: Sie dürfen nicht mehr als 5 Kreuze machen. Sie können weniger als 5 Kreuze machen. Zum Beispiel 3 Kreuze. Dann zählen nur die 3 Kreuze. Das bedeutet: Sie nutzen nicht alle Ihre Stimmen.« Absenderin war die Bremer Wahlbereichsleiterin, die zum Entsetzen vieler Bremer mit »die Leiterin von dem Wahl-Bereich Bremen« unterschrieben hatte. Die verantwortlichen

Politiker hatten sich von dieser Aktion eine höhere Wahlbeteiligung und eine Senkung des Anteils der ungültigen Stimmen versprochen. Daraus wurde jedoch nichts, da man zwar die Sprache vereinfacht, dafür aber das Wahlverfahren komplizierter gemacht hatte. So war der Anteil der ungültigen Stimmen mit knapp drei Prozent fast genauso hoch wie bei der Wahl zuvor.
Die Bremer Regierung war sich bewusst, dass die Wahlunterlagen in »Leichter Sprache« bei vielen Wählern auf Befremden und Unverständnis stoßen würden. In weiser Voraussicht hatte ein Sprecher des Innensenators geäußert, dass dies »für Teile der Bevölkerung zunächst noch gewöhnungsbedürftig erscheinen« könne. Tatsächlich fühlten sich nicht wenige Bremer brüskiert, denn für sie hatte es den Anschein, als hielte die Landesregierung sämtliche Bremer für lernbehindert. Dass für die Übersetzung der Wahlunterlagen in »Leichte Sprache« stattliche 50.000 Euro veranschlagt wurden, war ein weiteres Ärgernis. Und ein trefflicher Beweis, dass »einfach« nicht zwangsläufig auch »billig« bedeuten muss.

Der flächendeckende Einsatz »Leichter Sprache« ist ein weiteres Beispiel für die unseligen Versuche der Politik, Sprache für ihre Zwecke zu instrumentalisieren.

Davon abgesehen stellt sich mir aber noch eine ganz andere Frage: Ist »Leichte Sprache« tatsächlich gewöhnungsbedürftig? Vieles spricht nämlich dafür, dass sie dem durchschnittlichen Leser, Fernsehzuschauer, Radiohörer und Konsumenten längst vertraut ist. In zahlreichen Medien wird sie seit Langem praktiziert. Ein Vorreiter ist die »Bild«-Zeitung, die die Empfehlung »Trennen Sie lange Wörter mit einem Binde-Strich« geradezu vorbildlich umsetzt, wie folgende Überschriften zeigen:

»Wahl-Betrug in Berlin«
»Spar-Plan für Leipzigs Bäder«
»Verkehrs-Minister will Bahngipfel«
»Schlamm-Schlacht gegen Gabriele Pauli«
»Laden-Dieb verprügelt Detektiv«
»Bus-Fahrer terrorisiert Rollator-Opa«

Werbung und Handel folgen auf dem Fuße. In vielen Supermärkten scheint Zusammenschreibung im Sinne der deutschen Rechtschreibung nicht mehr zum Sortiment zu gehören. Stattdessen zeigt man, dass es sogar ohne Bindestrich geht, und bietet »Marken Butter«, »Toast Brot« und sogar »Mutter Erde« an.
Da kann Ursula von der Leyen doch nur stolz sein. Selten wurde die Empfehlung eines Ministeriums derart bereitwillig befolgt.
Auch die Regel »Vermeiden Sie den Genitiv« wird von den Medien treu beherzigt, wie die folgenden Überschriften zeigen, bei denen die Umschreibung mit »von« eine ungewollte Komik erzeugt:

»Erneut Schiff von Bremer Reederei gekapert« (»tagesschau.de«)
»Ehefrau von Bankchef entführt« (»Stuttgarter Zeitung«)
»Sicherheitsbeamter von Gauck beklaut« (»Schweriner Volkszeitung«)
»Mann wird bei Rede von Québecs Wahlsiegerin erschossen« (»WAZ«)
»Höhepunkt der ersten Halbzeit war der Schuss an die Latte von Beckham.« (»Sat.1«)

Dass auch die Vermeidung des Konjunktivs gewissenhaft befolgt wird, steht außer Frage. Und auch der an immer groteskeren Stellen auftauchende Apostroph spricht für den

Sieg der »Leichten Sprache« im Alltag, denn offenbar sind Schreibweisen wie »Die Profi's für Ihr Haar«, »Nicht's wie hin!« und »Täglich Neue's aus Oma's Küche« leichter zu lesen als die entsprechenden Versionen ohne Häkchen, sonst fänden sie wohl kaum eine derart starke Verbreitung. Schlagen Sie die Zeitung auf, zappen Sie sich durch die Programmvielfalt, lassen Sie einen Block Fernsehwerbung über sich ergehen, und Sie werden feststellen: Leichte Sprache ist überall! Und wenn Sie noch Zweifel haben, gehen Sie ins Internet und lesen Sie ein paar Kommentare oder Tweets.

Ursula von der Leyen wurde inzwischen als Ministerin für Arbeit und Soziales von Andrea Nahles abgelöst, die für die jüngste Auflage des Ratgebers ein neues, aber sehr ähnliches Vorwort geschrieben hat. Wie es immer so geht in der Politik: Das Foto wird ausgetauscht, der Inhalt bleibt der gleiche. Von der Leyen kümmert sich jetzt um die Bundeswehr, die Zuwendung dringend nötig hat, denn viele ihrer Waffen und Fahrzeuge sind hoffnungslos veraltet und zum Teil nicht mehr verkehrstauglich. Vermutlich arbeitet die Ministerin bereits an einer neuen Broschüre mit dem Titel »Leichte Verteidigung«. Darin könnte es dann heißen: »Benutzen Sie einfache Transportmittel! Schlecht: Hubschrauber. Gut: öffentlicher Nahverkehr.«

Welch ein Wort ist »erlaubt«?

Frage zweier Grundschullehrerinnen aus Bornheim (Nordrhein-Westfalen): Lieber Zwiebelfisch, in einer Grammatikarbeit zum Thema »Wortarten« baten wir die Kinder, mit Nomen verwandte Adjektive oder Verben herauszufinden.
Unter anderem haben wir das Wort »Erlaubnis« hingeschrieben, in der Erwartung, dass die Kinder es mit dem Verb »erlauben« in Verbindung bringen.
Nun schrieb ein Schüler jedoch »erlaubt« und meinte dazu, das sei ein Adjektiv.
Aus unserer Schulzeit meinen wir uns zu erinnern, dass »erlaubt« ein Partizip ist, also eine Form des Verbs. Dann aber fiel uns ein, dass es auch »erlaubte Lösungen« gibt. Ist es also auch ein Adjektiv?
Dagegen spricht wiederum, dass es sich nicht steigern lässt, denn unserer Meinung nach gibt es nicht: »erlaubt – erlaubter – am erlaubtesten« (*schüttel*).
Am liebsten würden wir dem Schüler natürlich einen Punkt geben, schon weil er uns in wahre Wissensnöte treibt. Aber wirklich wissen wollen wir es auch. Daher bitten wir Sie ganz herzlich, uns unsere Frage zu beantworten: Ist »erlaubt« nur ein Partizip oder auch ein gültiges Adjektiv? Danke sehr für Ihre Mühe und Hilfe vorab!

Antwort des Zwiebelfischs: »Erlaubt ist, was gefällt«, sagt der Protagonist in Goethes »Torquato Tasso« zu seiner Angebeteten. Die hält ihm jedoch entgegen: »Erlaubt ist, was sich ziemt.«
Seit Goethes Zeiten (und sicherlich schon viel länger) sind wir hin- und hergerissen, was erlaubt ist und was nicht.

Es stimmt, dass »erlaubt« zunächst ein Partizip ist; genauer ein Perfektpartizip. Und wie die meisten Perfektpartizipien kann »erlaubt« auch als Adjektiv gebraucht werden. Adjektive können attributiv (d.h. vor dem Hauptwort stehend) eingesetzt werden, sie müssen gebeugt werden können und, wenn es sinnvoll ist, gesteigert werden können. Vor ein Hauptwort stellen und beugen lässt sich »erlaubt« ohne Weiteres:

> das erlaubte Tun; ein unerlaubtes Wort; auf erlaubtem Wege

Entgegen Ihrer Vermutung ist »erlaubt« sogar steigerbar, jedenfalls in der verneinten Form:

> Auf seinem Weg an die Macht bediente er sich der unerlaubtesten Mittel.

Partizipien werden auch »Mittelwörter« genannt, weil sie hinsichtlich ihrer grammatischen Eigenschaften genau zwischen Verben (Tätigkeitswörtern) und Adjektiven (Eigenschaftswörtern) stehen, also eine Mittelgruppe zwischen diesen beiden Wortarten bilden.
Nicht alle Perfektpartizipien können als Adjektive gebraucht werden; die von intransitiven Verben (das sind Verben, die kein Objekt haben, z.B. »schlafen«, »helfen« oder »dauern«) scheiden aus. Denn Beispiele wie »das geschlafene Kind«, »der von vielen geholfene Umzug« oder »die sechs Stunden gedauerte Reise« sind nicht korrekt.

Das Hauptwort »Erlaubnis« ist also gleichermaßen mit dem Verb »erlauben« verwandt als auch mit dem Mittelwort »erlaubt«, welches sowohl verbalen als auch adjektivischen Charakter hat.

Geben Sie dem Schüler den Punkt: Er hat ihn verdient! Allein schon deshalb, weil er in der Lage war, aus »Erlaubnis« die Form »erlaubt« zu bilden und in dieser auch noch den adjektivischen Charakter zu erkennen. Das ist mehr, als so mancher Erwachsene zustande bringt. Herzliche Grüße an die gesamte Klasse und weiterhin viel Vergnügen beim Unterrichten!

Ein zu befahrenes oder zu befahrendes Land?

Frage eines Lesers aus Mailand: Lieber Zwiebelfisch, als Korrekturleser für einen wissenschaftlichen Aufsatz stand ich neulich vor folgendem Problem: In einem Abschnitt über Länder, die zukünftige Reisende befahren werden, war von »Eigenschaften der zu befahrenden Länder« die Rede. Vom Gefühl her habe ich korrigiert in »Eigenschaften der zu befahrenen Länder«. Daraufhin wurde ich gebeten, zu erklären, warum die eine Variante richtig ist und die andere nicht. Nach verschiedenen Versuchen hisse ich nunmehr die weiße Flagge und wende mich an Sie: Habe ich den Satz verschlimmbessert? Was ist richtig – und mit welcher Begründung?

Antwort des Zwiebelfischs: Lieber Leser, hier haben wir es mit einem erlesenen grammatischen Phänomen zu tun, das den Namen Gerundivum trägt oder auch kurz: Gerundiv. Es handelt sich um ein Partizip I mit passivischer Bedeutung, das eine dringende Empfehlung oder gar Notwendigkeit ausdrückt oder – in der Verneinung – ein Verbot oder eine Unmöglichkeit:

Notwendigkeit/Empfehlung:
ein zu lesendes Buch (= muss/sollte gelesen werden)
ein zu bereisendes Land (= muss/sollte bereist werden)

Verbot/Unmöglichkeit:
ein nicht zu öffnendes Fenster (= kann oder darf nicht geöffnet werden)
ein keinesfalls oral einzunehmendes Medikament (= darf unter keinen Umständen geschluckt werden)

Das Gerundiv gab es natürlich auch schon im klassischen Latein. Eines der berühmtesten lateinischen Beispiele stammt von Cato dem Älteren, der jede Rede mit den Worten schloss: »Ceterum censeo Carthaginem esse delendam«, was übersetzt bedeutet: »Im Übrigen meine ich, Karthago muss zerstört werden.« Dieses »delendam« (= muss zerstört werden) ist ein Gerundiv, denn die wörtliche Übersetzung lautet: »Im Übrigen meine ich, Karthago ist eine zu zerstörende (Stadt).« Noch wörtlicher, aber dann schon fast nicht mehr Deutsch: »Im Übrigen meine ich Karthago eine zu zerstörende zu sein.«

Vermutlich war das Gerundiv schon bei den Römern eher der gehobenen als der Alltagssprache zuzurechnen. Das ist es jedenfalls im heutigen Deutsch.
Manche halten es für gestelzt und betrachten es als eine eher »zu vermeidende Form«; andere aber sehen darin eine zusätzliche Ausdrucksmöglichkeit und betrachten das Gerundiv – neben anderen -iven wie Genitiv, Konjunktiv und Superlativ – als einen weiteren funkelnden Edelstein in der Schatzkammer unserer Grammatik.

Man nennt es im Deutschen auch das »zu-Partizip«, weil es mit »zu« gebildet wird – und mit der Form des ersten Partizips. Und das erste Partizip (auch Präsenspartizip genannt) endet im Deutschen immer auf -nd: lesend, reisend, sitzend, fahrend, schlafend, lachend etc.

Darum sind Länder, die unbedingt noch befahren werden müssen, nicht »zu befahrene Länder«, sondern »zu befahrende Länder«.

Ihr Irrtum resultierte vermutlich aus der Tatsache, dass die Form »befahren« ebenfalls ein Partizip ist, und zwar ein Perfektpartizip. Es gibt durchaus »befahrene Länder«, das sind die, die man schon befahren hat. Das Gerundiv verweist aber auf etwas, das noch aussteht, und wird daher nicht mit dem Perfektpartizip, sondern mit dem Präsenspartizip gebildet. Davon abgesehen verleiht die von Ihnen vorgenommene Korrektur dem Ganzen einen neuen Sinn, denn »zu befahrene Länder« kann man als Länder mit einer zu starken Verkehrsdichte deuten.

Ich hoffe, meine Antwort war eine gut zu verstehende, und verbleibe mit herzlichen Grüßen ins unbedingt mal wieder zu bereisende Mailand
Ihr Zwiebelfisch

Als die USA noch die Vereinigten Staaten von Amerika waren

Frage eines Ingenieurs aus Hamburg: Wir haben gerade eine USA-Reise hinter uns, und dabei ist uns aufgefallen, dass es für den Bundesstaat California eine deutsche Übersetzung (Kalifornien) gibt. Könnten Sie mir sagen, woher die Übersetzung für diesen Bundesstaat kommt? Vielen Dank im Voraus!

Antwort des Zwiebelfischs: Lieber Leser! Dass Sie erst in die USA reisen mussten, um zu erfahren, dass der deutsche Name Kaliforniens »Kalifornien« lautet, ist in höchstem Maße erstaunlich. Eine solche Mühe hätten Sie dafür nicht auf sich zu nehmen brauchen, denn ein Blick in einen deutschen Atlas, in ein Wörterbuch oder auf wikipedia.de hätte genügt.
Dort hätten Sie sehr schnell festgestellt, dass die Schreibweise »Kalifornien« sogar die im Deutschen allein gültige ist. »Kalifornien« und die Ableitungen »Kalifornier« und »kalifornisch« stehen im Duden hübsch platziert zwischen »Kalifentum« und »Kaliindustrie«. Die englische Schreibung »California« finden Sie im Duden gar nicht, dafür aber »Californium«, ein radioaktives chemisches Element, abgekürzt Cf.
Beim Wort »Kalifornien« handelt es sich um eine Anpassung an deutsche Schreib- und Sprechgewohnheiten, wie sie in früheren Zeiten noch selbstverständlich war. Als es noch keine Computer und kein Internet gab und noch niemand von Globalisierung sprach, war es üblich, die Namen fremder Länder und Städte einzudeutschen. Darum sagen wir noch heute »Warschau« statt »Warszawa«, »Kopenhagen« statt »København«, »Moskau« statt »Moskwa« und »Peking« statt 北京.

Je schwieriger ein Name für Deutsche auszusprechen war, desto stärker unterschied sich die eingedeutschte Form vom Original. Bei englischen Namen war eine Eindeutschung in der Regel nicht nötig, auch wenn die Deutschen sie selten so aussprachen wie die Einheimischen (was wir heute noch nicht tun). Ein paar englische Namen wurden dennoch eingedeutscht, wie zum Beispiel »Great Britain«, das im Deutschen zu »Großbritannien« wurde.

So wie Großbritannien hatten auch die USA hierzulande lange Zeit einen deutschen Namen. Sie hießen »Vereinigte Staaten von Amerika«, abgekürzt »V. St. v. A.« Diese Bezeichnung gilt im Prinzip auch heute noch, nur wird sie immer seltener angewandt, und die Jüngeren unter uns lernen sie vielleicht nicht einmal mehr kennen.
Auch für einige der amerikanischen Bundesstaaten gab es deutsche Entsprechungen. Und zwar für jene, die auf -ia endeten, was im Deutschen üblicherweise mit -ien wiedergegeben wurde. In alten Western der 50er- und 60er-Jahre kann man (in der deutsch synchronisierten Fassung) mitunter noch hören, wie von »Pennsylvanien« gesprochen wird. Pennsylvania ist übrigens eine Zusammensetzung aus dem Nachnamen des Staatsgründers William Penn und der Ableitung des lateinischen Wortes »silva«, das »Wald« bedeutet. Wörtlich übersetzt bedeutet es also »Penns Waldland«.
Die Endung auf -ien ist eine typisch deutsche Endung für (fremde) Länder, wie man sie unter anderem bei Belgien, Spanien, Italien, Bosnien, Slowenien und Moldawien findet. Darum wurden auch die Bundesstaaten Georgia und Virginia im Deutschen einst »Georgien« und »Virginien« genannt. Diese Formen sind jedoch untergegangen, genau wie Pennsylvanien. (Apropos Georgien: In der englischen Sprache wird aus Georgien im Kaukasus wiederum

»Georgia«.) Von allen amerikanischen Bundesstaaten, die im Deutschen einst auf -ien endeten, hat sich Kalifornien als einziger bis heute gehalten.

Viele Namen amerikanischer Bundesstaaten sind indianischer Herkunft, wie Massachusetts (übersetzt: »Bei den großen Hügeln«), Wyoming (»Große Ebenen«) oder Texas (»Land der Verbündeten«). Diese Namen hat man auch im Deutschen so gelassen, was allerdings nicht heißt, dass man sie auch originalgetreu aussprechen würde. Dass Arkansas (»Land der Flussmenschen«) nicht »Arkänsass« gesprochen wird, sondern »Arkensoh« [ɑrkənsɔː], hat man hierzulande erst mitbekommen, als ein von dort stammender Gouverneur namens Bill Clinton zum Präsidenten gewählt wurde. Eingedeutscht wurden auch jene Staatennamen, die ein »North«, »South« oder »New« enthielten, wie North Dakota (deutsch: Norddakota) und South Carolina (deutsch: Südkarolina).
New Hampshire hieß früher im Deutschen noch Neu Hampshire, und auch New York wurde eingedeutscht. Im Duden aus dem Jahr 1941 ist unter dem Stichwort »New York« vermerkt: *engl. u. amerik. Form von* → Neuyork.

Leider ist »Neuyork« aus dem Sprachgebrauch verschwunden, bevor Frank Sinatra eine deutsche Version seines Welthits über die größte Stadt der Vereinigten Staaten aufnehmen konnte. »Neuyork, Neuyork« hätte bestimmt großartig geklungen. Die kanadischen Provinzen New Brunswick und Newfoundland haben sich hingegen bis heute als Neubraunschweig und Neufundland im Deutschen gehalten.

Um die Entstehung des Namens »Kalifornien« ranken sich unterschiedliche Legenden. Der einen zufolge geht der Name auf einen Roman des Spaniers Garci Rodríguez de Montalvo aus dem Jahr 1510 zurück, in dem eine Insel namens California beschrieben wird, die reich an Gold ist und von Amazonen bewohnt wird, deren Königin den Namen Califia trägt. Als Hernando Cortés 1535 nach Niederkalifornien kam, soll er zunächst geglaubt haben, er sei auf einer Insel gelandet, und sie nach der Insel aus Montalvos Buch benannt haben.

Einer anderen Legende nach waren es spanische Mönche, die dem Land seinen Namen gaben. Ihnen sei die Halbinsel aufgrund des heißen Klimas wie ein glühender Ofen erschienen, was im Latein der Mönche zu »calida fornax« (heißer Ofen) und im Spanischen dann zu California geworden sei. Ob Amazoneninsel aus einem Roman oder Glutofen aus dem Mönchslatein – im Deutschen wurde California zu Kalifornien.

Dass man ein »C« vor »a«, »o« und »u« im Deutschen mit einem »K« wiedergab, war seit der Orthographischen Konferenz des Jahres 1901 Standard. Darum schrieb man auch die Länder »Canada« und »Mexico« im Deutschen mit »k«. Bei beiden haben sich diese Schreibweisen bis heute gehalten. Unter »Canada« steht im aktuellen Duden: *»engl. Schreibung von* → Kanada«. Und »Mexico« mit »c« findet im Duden gar keine Erwähnung.

Beim Bundesstaat Colorado hat sich die eingedeutschte Schreibweise hingegen nicht gehalten. Von »Kolorado« mit »K« sind nur noch die Koloradotanne und der Koloradokäfer übriggeblieben. Der Bundesstaat und der namensgebende Fluss schreiben sich im Deutschen heute ausschließlich mit »C«. Auch die deutschen Schreibweisen »Nordkarolina« und »Südkarolina« sind verschwunden. Allein bei Kalifornien wurde die eingedeutsche Schreibweise bis heute beibehalten.

Kalifornien mit »K« und »en« finden Sie übrigens nicht nur auf deutschen Landkarten der USA, sondern auch im Kreis Plön in Schleswig-Holstein. Es ist der Name eines Badeortes an der Kieler Bucht. Dort kommen Sie auch ohne Flugzeug hin. Und wenn Ihnen das auf Dauer nicht exotisch genug ist, dann gehen Sie fünf Minuten in östliche Richtung: Schon sind Sie in Brasilien. So heißt der Nachbarort.

Mehr zum Thema Ländernamen:

»Babylonische Namensverwirrung« (»Dativ«-Band 1)
»Ländernamen mit Artikel/Ländernamen ohne Artikel« (»Zwiebelfisch-Abc« im »Dativ«-Band 3)

Als man noch aufs Amt ging

Manche finden es verwunderlich, wenn sie hören, jemand gehe *aufs* Rathaus oder *auf* die Post. Sie finden, es müsse *zum* Rathaus und *zur* Post heißen. Dies ist die Geschichte von Herrn Innendrin, der niemals *aufs* Rathaus ging, *auf* keiner Schule war und aus Prinzip auch nicht *auf* die Toilette ging. Was immer er tat, er tat es mit »in« und »zu«. Dabei ist an »auf« gar nichts verkehrt.

Herr Innendrin war ein ordnungsliebender, klar strukturierter Mensch. Das zeigte sich besonders in seinem akkuraten Umgang mit den Präpositionen. Verhältniswörter, wie sie auf Deutsch auch genannt werden. Herr Innendrin fand, dass Verhältniswörter allein schon aufgrund ihres Namens klare Verhältnisse verdient hätten. Er arbeitete für die Stadt, und zwar im Rathaus, und wenn er morgens seine Wohnung verließ und zur Arbeit ging, dann sagte er: »Ich gehe zum Rathaus.« Und wenn er vor dem Rathaus angekommen war und sich anschickte, hineinzugehen, dann sagte er: »Ich gehe ins Rathaus.« Es wäre ihm nie im Leben eingefallen, etwas anderes zu sagen. Wenn er von Touristen gefragt wurde, wo es denn »nach dem Rathaus« gehe, dann schüttelte es ihn. »Nach dem Rathaus geht es heim, jedenfalls für mich«, pflegte er zu erwidern.
Sein Nachbar von gegenüber hieß Herr Aufendrauf, und der sprach, wie Herr Innendrin fand, äußerst merkwürdig. Wenn sie einander morgens begegneten, fragte Herr Aufendrauf mit dröhnendem Bass: »Na? Geht's wieder aufs Rathaus?« Einmal antwortete Herr Innendrin mit einer Gegenfrage: »Sehe ich etwa aus wie ein Dachdecker?« Und weil Herr Aufendrauf die Frage nicht zu verstehen schien, erklärte Herr Innendrin: »Ich bin Sachbearbeiter im Einwohnermeldeamt. Ich gehe zum Rathaus, und wenn ich es be-

trete, dann gehe ich ins Rathaus. Maximal: hinein. Doch ich wüsste nicht, was ich *auf* dem Rathaus verloren hätte.«

Herr Innendrin nahm es mit den Präpositionen sehr genau. Womöglich etwas zu genau. Denn die Wendung »aufs Rathaus gehen« bedeutet nicht, dass man dem Bürgermeister aufs Dach steigt. »Auf« ist – genau wie »ins« und »zu« – ein richtungweisendes Verhältniswort und wird traditionell vor Ämtern und anderen staatlichen Institutionen gebraucht. Wer etwas findet, das ihm nicht gehört, kann es »aufs Fundbüro« bringen. Wer als Zeuge geladen ist, der geht »aufs Gericht«, und wenn die Polizei einen Übeltäter erwischt, bringt sie ihn »auf die Wache« oder »aufs Revier«. Wenn der Übeltäter verurteilt wurde, kommt er jedoch nicht »aufs Gefängnis«. Hier hat sich das »in« von »ins Verlies werfen« gehalten. »Aufs Gefängnis« kommt man höchstens bei Monopoly.

Als Herr Aufendrauf einmal vergessen hatte, einen Brief einzuwerfen, fragte er Herrn Innendrin, ob der vielleicht »heute noch zufällig auf die Post« gehe. »Erstens glaube ich nicht an Zufälle«, erwiderte Herr Innendrin, »und zweitens bedarf es mehr als eines Zufalls, um mich dazu zu bewegen, ein Postamt zu besteigen.«

Für die Verwendung der Präposition »auf« vor Ämtern gibt es eine einfache Erklärung: Einst ging man aufs Schloss oder auf die Burg, wenn es eine amtliche Sache zu regeln galt. Beim Schloss und bei der Burg ergab sich die Präposition »auf« ganz einfach durch die erhöhte Lage. An die Stelle der Burgen und Schlösser traten irgendwann die Ämter und Gerichte, die mit ihren prächtigen Fassaden, Zinnen und Türmchen im Übrigen nicht selten an Schlösser erinnerten. Und da man ja auch »aufs Schloss gehen« sagte, übertrug sich der Gebrauch der Präposition auf alle Gebäude, die die

Obrigkeit verkörperten: Rathäuser, Gerichte, Polizeiwachen und Postämter. In manchem Dorf geht man auch »auf die Gemeinde«, wenn man mit der örtlichen Verwaltung etwas zu regeln hat.
Und ein jeder von uns ist »auf die Schule« gegangen. Manch einer auch »aufs Gymnasium« und anschließend »auf die Universität«.

Als Herr Innendrin noch die Schule besuchte, sagte er: »Ich gehe zur Schule«. Und wenn man ihn fragte: »Auf welche Schule denn?«, gab er trotzig zurück: »Sehe ich aus wie eine Taube? *Auf* der Schule hocken bei uns nur die Tauben; die Schüler hocken *in* der Schule.« Herr Innendrin war schon als Schüler recht kompromisslos. Er war ja auch nicht »auf den Kindergarten« gegangen und erst recht nicht »auf die Kirche«.

Bei der Kirche ist es tatsächlich nie zum Gebrauch der Präposition »auf« gekommen, selbst wenn manche Kirche höher gelegen ist. Doch die meisten befinden sich schließlich im Mittelpunkt ihres Dorfes oder Viertels, wo sie gut zu erreichen sind, sodass der Gang zur Kirche sprachlich nicht zu einem Hinaufgang wurde. In Hamburg allerdings kann man »auf den Dom« gehen, aber nur, weil der Hamburger Dom ein Rummel ist und es im Deutschen üblich ist, »auf den Rummel« oder »auf die Kirmes« zu gehen.

Zu Herrn Innendrins großem Missfallen wird der »auf«-Gebrauch auch noch bei anderen Örtlichkeiten praktiziert. Bei der Toilette zum Beispiel. Dass man »auf die Toilette« geht, liegt nicht daran, dass die Toilette etwas Schlossähnliches hätte – auch wenn man auf ihr thronen kann. In den Häusern wohlhabender Bürger befanden sich die Toiletten aus praktischen Gründen in der Nähe der Schlafzimmer. Und die Schlafzimmer der Bürger lagen – genau wie die Gemächer des Adels – nicht auf gleicher Ebene wie der Speisesaal oder der Salon, sondern ein Stockwerk darüber. Zum Umziehen wie zur Toilette ging man stets eine Treppe hinauf. Noch heute sagt man daher »aufs Zimmer gehen« und »auf die Toilette gehen«, selbst wenn man dafür die Treppe hinabsteigen muss.

In Herrn Innendrins Wohnung befanden sich alle Räume auf einer Ebene, so war er es gewohnt; im Hause seiner Eltern war es genauso gewesen. Schon damals hielt er seinen Vater für ungenau, wenn dieser ihm zornig befahl: »Geh sofort auf dein Zimmer!«; denn Hinaufgehen konnte man höchstens auf den Speicher. Aus demselben Grund weigerte sich Herr Innendrin beharrlich, »auf die Toilette« zu gehen. Stattdessen sah man ihn mehrmals täglich *zu* derselben streben.

Einmal besuchte Herr Innendrin seine Cousine auf der Schwäbischen Alb. Bei der Alb erschien ihm das »auf« angemessen, denn es ging beachtlich bergan. Als seine Cousine ihn vor seiner Abreise fragte, ob sie ihn »auf den Zug« bringen solle, schlug er die Hände über dem Kopf zusammen: »Ich weiß, dass ihr Schwaben gut das Geld zusammenhalten könnt. Doch die Zeiten, dass unsereins auf dem Dach mitreisen musste, sind lang vorbei.« Natürlich hatte seine Cousine mit »auf den Zug bringen« nichts anderes gemeint als ihren Vetter zum Zug zu begleiten – auf der Schwäbischen Alb sagt man es eben etwas anders.

Vor Behörden und anderen Dienststellen ist die Präposition »auf« noch immer sehr gebräuchlich – mit Ausnahme der Post. Denn dass Menschen »auf die Post« gehen, hört man immer seltener. Das liegt sicher auch daran, dass es immer weniger Postämter gibt und schon gar nicht solche, die Schlössern gleichen. Die heutigen Postämter nennen sich »Postshops« und werden teilweise von Kioskbesitzern betrieben, die nebenbei auch noch Lottoscheine und Süßigkeiten verkaufen. So muss Herr Innendrin jedenfalls nicht befürchten, dass sein Nachbar Herr Aufendrauf ihn jemals fragen wird, ob er heute noch zufällig »auf den Postshop« gehe.

Weiteres zum Gebrauch von Präpositionen:

»auf der Arbeit/in der Arbeit« (»Zwiebelfisch-Abc« im »Dativ«-Band 1)
»auf Mallorca/in Mallorca« (»Zwiebelfisch-Abc« im »Dativ«-Band 3)
»Ich geh nach Aldi« (»Dativ«-Band 3)
»In oder nach 300 Metern abbiegen?« (»Dativ«-Band 5)
»Der Chef ist auf Termin« (»Dativ«-Band 5)
»Ist in Deutsch genauso gut wie auf Deutsch?« (»Dativ«-Band 5)

Sprachlich schöngefärbt

Ob Übergewicht, mangelndes Denkvermögen oder ein schlechtes Abschneiden im Wettkampf: Keine Wahrheit muss so hart klingen, wie sie ist. Alles lässt sich mit Worten milder machen, weicher zeichnen, schöner färben. Die Rede ist von Euphemismen. Sie beschönigen Misserfolge, verhüllen Unangenehmes, verschleiern Tatsachen. Manchmal regen sie uns auf, manchmal bringen sie uns auch einfach nur zum Lachen.

Bei Tante Karlas Geburtstagskränzchen werden einige alte Fotos herumgereicht. »Ach sieh nur, die Mizzie!«, ruft Tante Karla entzückt und fügt mit einem leisen Seufzer hinzu: »Die Gute ist ja im letzten Jahr leider von uns gegangen.« Das hört ihr jüngster Enkel Paul, der im Sommer in die Schule kommt, und fragt: »Wohin ist sie denn gegangen?« Tante Karla scheint die Frage nicht gleich zu verstehen: »Wie bitte?« – »Du hast doch gesagt, dass Tante Mizzie weggegangen ist. Wohin denn?«, wiederholt Paul seine Frage. Tante Karla lächelt verlegen und erwidert: »Na, in den Himmel. Wohin man eben so geht, wenn man verschieden ist.« Diese Auskunft scheint Paul ein weiteres Rätsel aufzugeben, denn er fragt: »Was war denn an Tante Mizzie so anders?« Da beugt sich Onkel Friedrich vor und raunt seinem Enkel zu: »Deine Oma will sagen, dass die Mizzie gestorben ist. Von uns gehen, verscheiden, das sind nur andere Wörter für sterben, den Löffel abgeben, in die ewigen Jagdgründe eingehen, den Abgang machen, über den Jordan gehen, verstehst du?« Tante Karla wirft ihrem Mann einen missbilligenden Blick zu: »Friedrich, ich bitte dich!« – »Ist doch wahr!«, brummt Onkel Friedrich; »da kann der Kleine gleich mal lernen, was Euphemismen sind!« Paul sieht seinen Großvater neugierig an: »Was sind ... Äufismen?« –

»Eu-phe-mis-men«, wiederholt Onkel Friedrich gedehnt und erklärt: »Das sind Schönfärbereien. Wörter, mit denen man etwas auf mildere Weise zum Ausdruck bringt, weil das eigentliche Wort zu hart, zu direkt oder gar verletzend klingt. Nehmen wir mal Tante Mizzie. Von der wird immer gesagt, dass sie *recht korpulent* war. Korpulent ist ein Euphemismus für übergewichtig. Tatsächlich war Mizzie nämlich dick wie ein Wal. Das sagte man aber nicht, wenn man über sie sprach. Da sagte man lieber, sie sei *korpulent, kräftig* oder *wohlgenährt.*« – »Das sagt man übrigens auch heute noch«, stellt Tante Karla klar. »Denn es gehört sich nach wie vor nicht, von einem korpulenten Menschen als *dick* zu sprechen.« – »Da hat deine Oma natürlich recht«, sagt Onkel Friedrich zu Paul. »Wie so oft. Es ist sinnlos, ihr zu widersprechen; darum nenne ich sie auch *die Regierung.* Das ist übrigens auch ein Euphemismus.«

Das Wort Euphemismus ist eine Ableitung vom griechischen »euphemia«, einer Zusammensetzung aus »phémē« (= Rede) und »eû« (= gut), was so viel bedeutet wie »etwas auf schöne Weise sagen«. Der deutsche Fachbegriff lautet Hüllwort. In älteren Wörterbüchern findet man auch noch die Bezeichnungen Glimpfwort und Hehlwort. Meistens aber wird Euphemismus mit Beschönigung, Schönfärberei, Verbrämung oder Verschleierung übersetzt. Euphemismen sind die Wort-Joker, die uns davor bewahren, gesellschaftliche Tabus zu brechen oder die Gefühle anderer zu verletzen.

Euphemismen können in den unterschiedlichsten Formen auftreten: als Verniedlichung (»Käffchen« für »Kaffee«), als Wort aus der Babysprache (»Kaka« für »Kot«), als Fremdwort (»Battle« für »Wettkampf«), als Wort der gehobenen Sprache (»Dame« für »Frau«) oder als scherzhaftes Wort der Umgangssprache (»Brötchengeber« für »Arbeitgeber«).

Ganz oben auf der Einsatzliste der Euphemismen rangieren tabuisierte Themen wie Sexualität und Tod. Für das Wort »sterben« gibt es mindestens zwei Dutzend Euphemismen. Zu den geläufigsten zählen »einschlafen« und »entschlafen«. Indem man den Tod mit dem Schlaf gleichsetzt, nimmt man ihm etwas von seiner Endgültigkeit. Hier wird der mildernde Aspekt der Euphemisierung besonders deutlich. Ältere Hüllwörter für »sterben« sind »heimgehen«, »hinscheiden« oder »abberufen werden«.
Eine tief verwurzelte Scham hat dazu geführt, dass wir für bestimmte Körperteile (insbesondere in den »unteren Regionen«) kein »normales« deutsches Wort haben. Entweder ist es lateinisch oder umgangssprachlich. In jedem Fall ist es verhüllend.
Für die angeblich »schönste Sache der Welt« haben wir entsetzlich nüchterne Wörter wie Beischlaf, Geschlechtsverkehr, Geschlechtsakt, Vereinigung oder Vollzug, die so klingen, als wären sie der Behördensprache entnommen. »Liebesspiel« oder »Liebesakt« sind bereits beschönigende Formen, denn Liebe ist dabei längst nicht immer im Spiel. »Lustspiel« wäre vielleicht passender, wenn der Begriff nicht schon anderweitig besetzt wäre.
Der wohl berühmteste Euphemismus aus der Modesprache ist das Wort Büstenhalter, der eigentlich Busenhalter oder Brusthalter heißen müsste. Die Büste ist eine künstlerische Nachbildung der menschlichen Kopfpartie, die meistens oberhalb der Brustpartie endet. Der Büstenhalter hält also etwas, das gar nicht zur Büste gehört.

Ein weiteres Gebiet, auf dem Euphemismen im Dauereinsatz sind, ist der menschliche Makel – oder das, was als solcher empfunden wird: Krankheit, Übergewicht, Haarausfall, Alter, Armut, Schwäche und jede Form von körperlicher und geistiger Beeinträchtigung.

Der gekonnte Umgang mit Euphemismen setzt natürlich ein gewisses Maß an Takt und Stilbewusstsein voraus. Damit wird man nicht geboren, man muss es sich aneignen. Schritt für Schritt lernen wir, dass Menschen nicht dick, sondern »vollschlank«, »beleibt« oder »füllig« sind, dass Oma und Opa nicht alt, sondern »ältere Menschen« sind, dass es in Deutschland keine Armen gibt, sondern höchstens »sozial Benachteiligte« und dass das verhaltensgestörte Nachbarskind bestenfalls »sozial auffällig« genannt werden darf.

Einer meiner Freunde, der Medizin studiert hat, wusste von einem Arzt zu berichten, der Patientenakten gelegentlich mit dem Kürzel AP versah. Als er fragte, wofür das stehe, erklärte ihm der Arzt, es sei die Abkürzung für »akzentuierte Persönlichkeit«. Andere Ärzte würden auch das Kürzel VK verwenden, das sei weniger verhüllend und stehe für »Vollklatsche«. Unterm Strich käme es aufs Gleiche hinaus.

Während die »akzentuierte Persönlichkeit« ein Euphemismus ist, ist die Bezeichnung »Vollklatsche« das Gegenteil: ein Dysphemismus. Dysphemismen wirken nicht verhüllend, sondern abwertend. Das Bezeichnete wird negativ besetzt: »Glotze« statt »Fernsehgerät«, »Schrotthaufen« statt »Auto«, »hirnverbrannt« statt »unvernünftig«. Genau wie die Euphemismen gelten auch die Dysphemismen als rhetorische Figuren.

Neben dem Mildern und Beschönigen haben Euphemismen noch weitere Funktionen: Sie können der Täuschung dienen, der Verschleierung oder der gezielten Erzeugung von Aufmerksamkeit. In dieser Weise werden sie bevorzugt in der Politik eingesetzt, denn Politik ist die Kunst, etwas zu sagen, das gut klingt und vom Eigentlichen ablenkt. Die

Politik beschäftigt eigens Sprachberater (sogenannte Spin Doctors), die darauf spezialisiert sind, unangenehme Tatsachen oder unpopuläre Maßnahmen so darzustellen, dass sie sich besser verkaufen lassen.

Die Liste der politischen Euphemismen ist lang und zeugt ebenso vom rhetorischen Geschick wie von der moralischen Elastizität ihrer Erfinder. Ein bekanntes Beispiel ist die »Freisetzung von Arbeitskräften«, ein Euphemismus für »Entlassungen«. Die Silbe »frei« ist derart positiv besetzt, dass sich damit jede noch so schlechte Nachricht verkaufen lässt. Eine ähnlich raffinierte Erfindung ist das Wort »Nullwachstum«, ein Euphemismus für Stillstand, der aller Null zum Trotz nach Wachstum klingt.
Anfang des Jahrtausends kam ein Wort in Mode, das bis dahin nur in der Wissenschaftssprache zu Hause gewesen war: »suboptimal« – als freundliche Verbrämung für »misslungen« oder »schlecht«.
Einer der umstrittensten Euphemismen der jüngsten Geschichte ist der »Kollateralschaden«, eine Übernahme aus dem amerikanischen Militärjargon, wo »collateral damage« eine Umschreibung für unbeabsichtigte zivile Opfer während eines Kampfeinsatzes ist. Der Begriff kam während des Nato-Einsatzes im Kosovokrieg auf und wurde 1999 zum »Unwort des Jahres« gekürt.

Über Euphemismen ist viel geforscht und geschrieben worden, der Platz reicht hier nicht aus, alle Aspekte dieses Sprachphänomens zu beleuchten. Nur eines noch: Neben der Schönfärberei mit Worten kennt die Sprachwissenschaft auch die orthografische Schönfärberei. Mit ihr haben wir es immer dann zu tun, wenn durch Manipulation der Rechtschreibung ein Wort schöner oder interessanter erscheinen soll. Das ist zum Beispiel bei Zusammensetzun-

gen mit einem Binnengroßbuchstaben der Fall: PartyService, FilmWerkstatt, HafenCity.
Als Rechtschreib-Euphemismen gelten auch Lehnwörter, die nicht nach deutschen Regeln geschrieben werden: »Cosmetic« statt »Kosmetik«, »Contactlinsen« statt »Kontaktlinsen«, »Centrum« statt »Zentrum«.
Bei so manchem Wort aus der Werbung (wie »Akatienhonig«, »Crème frech« oder »Fußphlege«) bleibt allerdings unklar, ob es sich um bewusste »Schönerschreibung« handelt oder um eine gewöhnliche Rechtschreibpanne.

An Tante Karlas Kaffeetafel wird gerade ein Foto herumgereicht, auf dem Onkel Friedrich als junger Mann in einer Gruppe von Studenten zu sehen ist. »Das da bin ich,« sagt er zu seinem Enkel. »Und der hier, das ist Helmut, wir waren die dicksten Freunde!« Paul zeigt, was er heute gelernt hat, und berichtigt seinen Großvater: »Dick sagt man nicht! Du meinst, ihr wart die korpulentesten Freunde.«

75 Euphemismen aus Alltagssprache, Wirtschaft und Politik

Hüllwort	Klarwort
Abfallentsorgung	Müllwegwerfen, Müllabholung
Ableben	Sterben, Tod
Abort (veraltet)	Toilette
alternative Verhörmethoden	Folter
beratungsresistent	unvernünftig, dickköpfig, dumm
Betriebsoptimierung	Entlassungen
bürgernah	populistisch, anbiedernd
Dame	Frau
dritte Zähne	künstliches Gebiss
Ehrenrunde drehen (scherzhaft)	sitzen bleiben
Eigentumsverlagerung (scherzhaft)	Diebstahl
Entsorgungspark	Müllhalde, Mülldeponie
Event	Veranstaltung, Ereignis
Facility Manager	Hausmeister
Fehltritt	Straftat, Ehebruch
förderungswürdig	schlecht
Freisetzung von Arbeitskräften	Entlassung
Gänsewein	Mineralwasser
Gesundheitskasse	Krankenkasse
Glas- und Gebäudereiniger	Fensterputzer
Gottseibeiuns (veraltet)	Teufel
Hairstylist	Friseur
Halbgott in Weiß	Arzt
Hausrecht, vom – Gebrauch machen	jemanden des Hauses verweisen
hohe Stirn	Halbglatze
in den besten Jahren	kurz vor dem Eintritt ins Rentenalter
Individualist	Sonderling, Spinner

Hüllwort	Klarwort
innere Sicherheit	staatliche Überwachung
Kernenergie	Atomkraft
Klassenerhalt	Vermeiden der Eingliederung in eine untere Liga
kognitiv herausgefordert	unbedarft, ungebildet, dumm
Kreditmanager	Schuldeneintreiber
Kundeninformation	Werbung
Leichnam	Leiche
Mitbewerber	Konkurrent
Nachbarschaftshilfe (scherzhaft)	Schwarzarbeit
Nachrichtendienst	Geheimdienst
negative Zuwachsraten	Rückgang, Schrumpfung
Niederkunft (veraltet)	Geburt
Night Auditor/Night Manager	Nachtportier
Nullwachstum	Stillstand, Stagnation
Ordnungshüter	Polizist
organisieren	stehlen
Personalstandsbereinigung	Massenentlassungen
Preisanpassung	Preiserhöhung
Prekariat	Armutsschicht, früher: Proletariat
Problemabfall	Giftmüll
Problemzonen	Fettgewebe
Produktmanager	Verkäufer
qualifizierte Duldung	Kapitulation der Polizei vor organisierten Gewalttätern
Raumpflegerin	Putzfrau
Rückbau	Abriss
rustikal	ländlich, schlicht, einfach
Säumniszuschlag	Mahngebühr
Schadstoffemission	Luftvergiftung
Seniorenresidenz/-stift/-wohnheim	Altersheim

Hüllwort	Klarwort
Servierordonnanz	Kellner, Kellnerin
Sonderurlaub (scherzhaft)	Haftstrafe, Arrest
Starkregenereignis	Gewitter
Stuhl	Kot
Teamfläche	Großraumbüro
transpirieren	schwitzen
übersichtlich (bei Portionen)	mager, wenig
Umsiedlung	Vertreibung
Umstrukturierungen	Entlassungen
Unfall mit Personenschaden (Sprachgebrauch der Deutschen Bahn)	Selbsttötung
unpässlich	krank, angeschlagen, leidend
Verbraucherinformationen	Werbung, Reklame
Vergissmeinnicht (veraltet)	uneheliches Kind
verhaltensauffällig, verhaltensoriginell	verhaltensgestört
Verkaufsberater/-in	Verkäufer/-in
Verteidigungsfall	Krieg
Vitamin B	Beziehungen
vollschlank	übergewichtig, dick
Wachstumspause	Rezession

Wie man stilistisch sicher zur Toilette gelangt:
»Einsatz für Agent 00« (»Dativ«-Band 5)

Zur verhüllenden Sprache in der Werbung:
»Lingua cosmetica« (»Dativ«-Band 5)

Zu Verniedlichungsformen:
»Teechen oder Käffchen?« (»Dativ«-Band 4)

Von Schwippschwägern, Muhmen und Großcousinen

Von der Tochter der Cousine der Großmutter bis zu den Kindern des Vetters zweiten Grades: Verwandtschaftsverhältnisse sind oft kompliziert und schwer zu erklären. Das fängt schon bei den Bezeichnungen an: Was genau ist eine Großcousine, wofür steht der Schwippschwager, und was bedeuten die schönen alten Begriffe Muhme und Oheim?

Heute ist es so weit: Henry wird 50, und er feiert in großem Stil. Der ganze Freundeskreis ist eingeladen: Philipp, Maren, Sibylle und ich, dazu eine große Zahl Verwandte, Onkel und Tanten, Cousins und Cousinen, die ich größtenteils nicht kenne. »Das ist Annegret«, sagt Henry, als sich eine Frau in unserem Alter mit fröhlich funkelnden Augen zu uns gesellt, »sie ist meine ... äh, warte mal eben ... ich glaube Cousine zweiten Grades.« Annegret lacht: »Was soll ich sein? Eine zweitklassige Cousine?« – »Nein, zweiten Grades! Unsere Mütter sind Cousinen, also sind wir Cousin und Cousine zweiten Grades!« – »Ich würde dann ja sagen, sie ist deine Großcousine«, sagt Sibylle. Henry schüttelt den Kopf: »Das Wort Großcousine ist keine offizielle Verwandtschaftsbezeichnung. Großcousine und Großcousin sind umgangssprachlich und in der Bedeutung nicht klar festgelegt. Manche beschreiben damit Verwandte aus der nächstälteren Generation, für andere sind es Verwandte aus derselben Generation, wieder andere nennen so ihre Nichten und Neffen zweiten Grades. Großcousin und Großcousine sind ein Notbehelf, mit dem sich praktisch alles erklären lässt, was im weitesten Sinne zur Familie gehört, ohne dass man den genauen Verwandtschaftsgrad benennen könnte.« Das gibt Sibylle zu denken: »Dann muss ich mir meine eigene Sippe noch mal gründlich vorknöpfen. Da sind nämlich einige dabei, von denen ich bislang dachte, es seien meine Großcousins und Großcousinen. Vielleicht sind die in Wahrheit ganz was anderes: Nichten oder Neffen ...« – »Oder womöglich gar nicht richtig mit dir verwandt, sondern nur verschwägert«, ergänzt Henry. »Genau!«, erwidert Sibylle und nickt. »Der Joseph zum Beispiel, der kam mir immer schon verdächtig vor. Vielleicht ist der gar kein Cousin, sondern bloß ein Schwager.«

»Apropos Schwager«, sagt Henry und lenkt unsere Aufmerksamkeit auf einen Herrn mit kugelrundem Bauch und kahler Stirn: »Dieser schneidige junge Mann ist Annegrets Angetrauter.« – »Also dein Schwager zweiten Grades?«, frage ich. Henry muss einen Moment überlegen: »Ich bin mir nicht sicher, ob es bei Schwägern auch Gradstufen gibt. Für mich ist er ein angeheirateter Cousin.« – »Wenn du dich da mal nicht täuschst«, sagt Sibylle kichernd. »Nachher ist er bloß ein Schwipsschwager!« – »Es heißt Schwippschwager«, stellt Henry klar, »ganz nüchtern, ohne Schwips.« – »Weiß ich doch«, sagt Sibylle; »das sollte nur ein Scherz sein.« Dann blickt sie mich an und fragt: »Warum heißt es überhaupt Schwippschwager?« – »Das kommt vom Wort Schwippe, dem biegsamen Ende einer Angelrute oder Reitgerte, und bedeutet ›mal so herum betrachtet, mal andersherum‹. Ein Schwippschwager ist der Bruder eines Schwagers oder einer Schwägerin.« – »Also praktisch der wedelnde Schwanz der Familie, in die man eingeheiratet hat«, fügt Henry mit einem Grinsen hinzu.

Dann zupft er mich am Ärmel und sagt: »Es ist Zeit, dass ich dich meiner Muhme vorstelle. Die ist ein großer Fan deiner Bücher und möchte dich unbedingt kennenlernen!« Sibylle verschluckt sich fast: »Wie bitte? Deine Mumie? Hast du das ägyptische Museum geplündert?« Henry erwidert: »Die Muhme ist eine schöne alte Bezeichnung für die Schwester der Mutter.« – »Schwester der Mutter? Das ist doch eine Tante?« – »Stimmt. Aber nicht irgendeine, sondern eine besonders nahestehende. Die Schwester der Mutter ist die Muhme, und der Bruder der Mutter der Oheim.« – »Und die Geschwister des Vaters? Haben die keine besonderen Namen?«, fragt Sibylle. Henry zuckt die Schultern: »Nein, ich glaube nicht. Das sind einfach Onkel und Tanten.« – »Wusstet ihr, dass wir die Wörter Onkel und Tante erst im 18. Jahrhundert aus dem Französischen übernommen haben?«, werfe ich ein. »Vorher hießen die Geschwister des Vaters Vettern und Basen.« – »Ach ja, das schöne Wort Base«, seufzt Henry, »das kennt heute auch kaum noch jemand.« – »Höchstens aus dem Chemieunterricht«, fällt Sibylle ein. »Genau!«, sagt Henry; »wie sagte mein Vater immer so schön? Man soll seine Cousine nicht verärgern, denn wenn die Base sauer wird, dann stimmt was nicht mit der Chemie!« Sibylle wendet sich wieder zu mir und fragt: »Ich dachte, Vetter und Base ist dasselbe wie Cousin und Cousine? Wie kann es dann von Onkel und Tante ersetzt worden sein?« – »In früheren Zeiten hatte man keine Bezeichnung für Cousinen und Cousins. Vetter und Base waren, wie gesagt, Bruder und Schwester des Vaters. Für deren Kinder wiederum gab es keine Bezeichnung. Die liefen einfach so mit.«

»Du hast ja sogar deine Ex-Schwiegereltern eingeladen«, stelle ich in diesem Moment erstaunt fest. »Nur meinen Eltern zuliebe«, erklärt Henry, »weil die sich mit ihren Gegenschwiegern immer so blendend verstanden haben.« – »Jetzt hör aber auf«, prustet Sibylle, »*Gegenschwieger* hab ich nun wirklich noch nie gehört. Gibt's das wirklich?« – »Selbstverständlich! Für die Eltern sind die Schwiegereltern ihres

Sohnes oder ihrer Tochter ihre Gegenschwieger.« Und weil Sibylle noch nicht überzeugt scheint, füge ich hinzu: »Du kannst sie auch Mitschwiegereltern nennen. Das klingt etwas verbindender als Gegenschwieger.«

»Ich kann von Glück sagen, dass es in meiner Familie nicht noch kompliziertere Verhältnisse wie Stiefgeschwister aus zweiter Ehe oder Adoptivgroßneffen aus einer urgroßväterlichen Nebenlinie gibt«, seufzt Henry. »Oder so was wie die Halbschwester der angeheirateten Cousine Julius Cäsars«, ergänze ich in Anspielung auf »Asterix«.

Am späteren Abend treffen wir Sibylle deutlich angeheitert am Arm eines ebenfalls nicht mehr ganz nüchternen Mannes wieder. »Das ist der Max«, erklärt sie, »und ich habe leider keinen Schimmer, wie der mit dir verwandt ist.« Henry sagt: »Max ist der Exmann meiner Schwägerin Johanna. Er ist also gar nicht mit mir verwandt, sondern mein Schwippschwager. Wenn ich ihn mir allerdings so anschaue, trifft diesmal tatsächlich eher die Bezeichnung Schwipsschwager zu.«

Nach Lauten gemalt

Was haben die Wörter »plötzlich«, »baff« und »grell« gemeinsam? Sie sind durch Lautmalerei entstanden. Genau wie hatschi, blabla und trallala. Lautmalende Wörter gibt es Hunderte, sie machen unsere Sprache erst richtig bunt. Die meisten von ihnen sind Verben. Da summt es und knistert, da pispert es und knispelt, da gickelt es und puppert, da quabbelt es und bummert.

Am Strand sitzt eine Oma neben ihrem knapp zweijährigen Enkel und betrachtet mit ihm ein Bilderbuch, das Szenen vom Bauernhof zeigt. »Guck mal, das ist eine Muhkuh!«, sagt die Oma. Der Kleine lacht. »Und das da, weißt du, was das ist?« Der Kleine nickt, doch die Oma kommt ihm zuvor: »Das ist ein Hottehüh!« Der Kleine blättert um, und die Oma sagt: »Hier sehen wir den Bauern auf seinem Töfftöff. Und da kommt die Bauersfrau in ihrem Brummbrumm.« Sie schaut ihren Enkel an und fragt: »Dein Papa hat auch ein Brummbrumm, nicht wahr?« Der Kleine schüttelt den Kopf und ruft: »Papa nich Brummbrumm, Papa Mährzehdes!«

Diese kleine Sprachlektion ruft mir wieder ins Bewusstsein, wie viele unserer Wörter durch Lautmalerei entstanden sind. Es sind längst nicht nur die kindlichen Wörter wie Bimbam, piff, paff und Tatütata, die Klängen nachempfunden sind. Lautmalende Wörter finden sich überall. Vor allem draußen in der Natur.

Wann immer es in der Wiese summt und brummt, auf dem Teich schnattert, quakt und platscht und in den Bäumen und Hecken gurrt, keckert, zwitschert und zirpt, ist Lautmalerei im Spiel. Bei Vogelnamen wie Kuckuck, Uhu, Krähe, Rabe,

Girlitz und Zilpzalp hört man das Rufen, Krächzen und Tschilpen buchstäblich aus dem Namen.
Auch die Glucke und der Gockel haben sich durch ihre gluckernden Laute selbst benannt. Und wenn der Mensch sie mit »put, put« oder »tuck, tuck« zu locken versucht, bedient er sich wiederum der Lautmalerei.
Der Zeisig ruft »tsihi, tsihi«, weshalb er früher mal »zisic« hieß. Der Kauz war vor Jahrhunderten noch ein »kūz« mit langem »u«, weil er wie der Uhu ein »Uuu«-Rufer ist.
Die Hummel wurde nach dem summenden, brummenden Geräusch ihrer Flügel benannt, die Drohne ebenso, denn das Wort »Drohne« ist mit »dröhnen« verwandt.
Der Hund ist zwar nur in der Kindersprache ein »Wauwau«, doch die abwertende Bezeichnung »Köter« geht auf eine niederdeutsche Interpretation der Kläfflaute des Hundes zurück. Und das winselnde Geräusch, das junge Hunde von sich geben, führte zur Entstehung des Wortes »Welpen«.

Auch zahlreiche Gerätschaften und vor allem Musikinstrumente verdanken ihren Namen der Lautmalerei, wie die Tröte, die Trommel, die Hupe, die Schnarre, der Gong und die Glocke. Die Harke hat ihren Namen vom kratzenden Geräusch, das beim Harken erzeugt wird, und der Schnorchel ist verwandt mit dem Wort »schnarchen«. Die Pistole wird umgangssprachlich »Wumme« oder »Ballermann« genannt, in der Kindersprache auch »Piffpaff«, was jeweils lautmalerische Schöpfungen sind. Auch das Wort Pistole selbst geht auf eine Lautmalerei zurück, die allerdings tschechischen Ursprungs ist. Das Wort »píšťala« bedeutet »Pfeife«.

Lautmalerei gibt es in allen Sprachen. Schon die Römer formten nach dem Gurren der Taube das Wort »turtur«, das noch heute in der »Turteltaube« steckt. Doch in jeder Spra-

che kann Lautmalerei zu unterschiedlichsten Ergebnissen führen. Im Deutschen ruft der Hahn »Kikeriki«, im Französischen »cocorico«, im Türkischen »ü-ürü-üüü« und im Englischen lallt er »cock-a-doodle-doo«.

Aus dem Englischen haben wir Wörter wie »Crash«, »Buzzer« und »Beeper« entlehnt, die klanglich ebenso selbsterklärend sind wie »Bang« oder »Pingpong«.
Beispiele für französische Lautmalerei finden wir im schönen Wort »kokett« (von »coco«, lautmalend für den Laut der Hühner), beim »Flickflack« (frz. »flic flac« = klipp, klapp), »Krokant« (von »croquer« = knabbern) und »Klischee« (vom klatschenden Geräusch beim Drucken, daher auch die deutsche Übersetzung »Abklatsch«).

Zahlreiche lautmalende Wörter sind sogenannte Interjektionen. Dazu gehören Ausrufe wie ach, aha, au, bäh, igitt, hoppla, huch, oh, oha, pfui, tja, uups und wow. Außerdem Lock- und Scheuchlaute wie put-put, piep-piep, miez-miez und hü-hott sowie einfache Geräuschnachahmungen wie bimbam, blubb, bums, dong, fump, hatschi, hui, klirr, knall, peng, paff, rums, schepper, schnipp, schnapp, wusch und zack. Und jeder kennt den glückwünschenden Ausruf »toi, toi, toi«, der das Geräusch dreimaligen Ausspuckens imitiert.

Aus diesen einfachen Geräuschnachahmungen, wie wir sie heutzutage vor allem aus der Comicsprache und dem Chat kennen, entwickelten sich in früheren Zeiten Hunderte von Verben, die unsere Sprache so lebendig erscheinen lassen. Ein berühmtes Beispiel für lautmalende Verben stammt vom Dichter und Kinderbuchautor James Krüss. Es ist ein Gedicht mit dem Titel »Das Feuer«, das so beginnt:

> Hörst du, wie die Flammen flüstern,
> Knicken, knacken, krachen, knistern,
> Wie das Feuer rauscht und saust,
> Brodelt, brutzelt, brennt und braust?

Gestern stand ich vor der Wahl, entweder im Garten Unkraut zu jäten oder aus meinem Wörterbuch alle Verben herauszuschreiben, die lautmalerischen Ursprungs sind. Ich beschloss, dem Unkraut noch eine Chance zu geben, und vertiefte mich ins Wörterbuch. Am Ende hatte ich an die 300 Verben zusammengetragen. Viel zu viele, dachte ich, um sie hier alle aufzuzählen. Schon wollte ich die Liste wieder löschen, da las ich sie mir noch einmal laut vor. Und dabei war es, als würden die Wörter plötzlich anfangen, aus sich selbst Geräusche, Klänge und Rufe zu erzeugen. Sie wurden immer lebendiger, immer eindringlicher – wie eine Art Musik. Und weil ich sicher bin, dass nicht nur ich diese Musik hören kann, habe ich mich entschlossen, die Liste in voller Länge wiederzugeben. Sie erhebt keinen Anspruch auf Vollständigkeit; es sind aber auch so schon viele recht ausgefallene und selten gebrauchte Wörter dabei:

ächzen, babbeln, ballern, bammeln, belfern, bellen, bibbern, bimmeln, blaffen, blöken, blubbern, bölken, bollern, brabbeln, brausen, britzeln, brodeln, brüllen, brummen, brutzeln, buhen, bummern, bumsen, donnern, dotzen, dröhnen, fauchen, fiepen, fiepsen, fipsen, fisseln, flappen, fluppen, flüstern, flutschen, furzen, gackern, gacksen, gähnen, gauzen, gickeln, gicksen, girren, gluckern, glucksen, gongen, grochsen, grölen, grollen, grummeln, grunzen, gurren, hauchen, hecheln, heulen, hicksen, hissen, holpern, hupen, husten, hüsteln, jammern, janken, jauchzen, jaulen, jodeln, johlen, juchen, juchzen, kakeln, keckern, keuchen, kichern, kieksen, kitzeln, klacken, klackern, kläffen, klappen, klappern, klapsen, klatschen, klecken, kleckern, klecksen, klempern, klicken, klickern, klimpern, klingeln, klingen, klippen, klirren, klitschen, klopfen, kloppen, klötern, knabbern, knacken, knacksen, knallen, knarren, knarzen, knattern, knatschen, knicken, knicksen, knipsen, knirren, knirschen, knispeln, knistern, knittern, knuffen, knurren, knuspern, kollern, krachen, krächzen, krähen, kreischen, kreißen, küssen, lallen, lispeln, lullen, lutschen, manschen, matschen, maunzen, meckern, miauen, motzen, mucken, mucksen, muffeln, muhen, munkeln, murmeln, murren, naschen, niesen, nölen, nörgeln, nuckeln, nutschen, paffen, panschen, pantschen, pappeln, patschen, pfeifen, pfropfen, picken, piepen, piepsen, piksen, pinkeln, pinken, pispern, pissen, pladdern, plantschen, plappern, plärren, platschen, plätschern, platzen, plaudern, plauschen, plitschern, ploppen, plumpsen, pochen, poltern, poppen, prahlen, prasseln, prassen, prusten, puckern, pudeln, puffen, pullern, pumpen, pupen, puppern, pupsen, pusten, putschen, quabbeln, quaken, quäken, quarren, quatschen, quieken, quietschen, rappeln, rascheln, rasseln, ratschen, rattern, rauschen, röcheln, röhren, rotzen, rucken, rucksen, rülpsen, rummeln, rumpeln, rumsen, ruscheln, rutschen, säuseln, sausen, schellen, scheppern, schlabbern, schlucken, schlupfen, schlüpfen, schlürfen, schmatzen, schmettern, schnackeln, schnappen, schnarchen, schnarren, schnattern, schnauben, schnaufen, schnauzen, schnäuzen, schnicken, schniefen, schnippen, schnipsen, schnorcheln, schnüffeln, schnupfen, schnuppern, schnurren, schrillen, schurren, schwabbeln, schwappen, schwatzen, schwätzen, schwirren, seufzen, simmen, sirren, spratzen, spritzen, sprotzen, stammeln, stottern, suckeln, süffeln, summen, suppen, surren, tacken, tackern, tattern, ticken, traben, trällern, trappeln, trappen, tratschen, trillern, trippeln, trommeln, tröten, tschiepen, tschilpen, tuckern, tuscheln, tuten, wabbeln, wiehern, wimmern, winseln, wispern, wummern, zecken, zicken, ziepen, zirpen, zischeln, zischen, zullen, zutschen, zuzeln, zwitschern

Hinzu kommen einige lautmalende Verben, die Tieren vorbehalten sind. So wie das Knören und Trenzen der Hirsche, das Rackeln der Rackelhähne, das Spissen der Haselhähne, das Scheckern der Elstern, das Rucken der Tauben und das Quorren der Schnepfen.

Der wissenschaftliche Begriff für Lautmalerei ist Onomatopoesie, vom griechischen *onomatopoiein,* das »einen Namen formen« bedeutet. Dieses Wort muss man sich nicht merken, aber es erinnert uns daran, dass Lautmalerei eine

Form von Poesie ist. Ob Klimbim, Tamtam, Radau oder pardauz, holterdiepolter, Rambazamba, Kladderadatsch oder tschingderassabum – ohne die Lautmalerei wäre unsere Sprache weit weniger anschaulich und farbenfroh.

Ein Buch mit sieben Siegeln

Die Bibel wird längst nicht von allen gelesen, und doch sind ihre Worte in aller Munde. Zahlreiche Redewendungen und Sprichwörter, die unsere Alltagssprache bereichern, sind biblischen Ursprungs. Oft sind wir uns des biblischen Gehalts unserer Worte nicht einmal bewusst.

»Stell dir vor: Ich werde Patentante!«, jubelte meine Freundin Sibylle, als wir uns an einem Nachmittag im Advent bei Tee und selbstgebackenen Plätzchen trafen. Ich hatte ihr kaum gratuliert, da wurde sie plötzlich ernst und fragte: »Als Patin ist man doch aber auch für die christliche Erziehung mitverantwortlich, oder? Ich bin nicht gerade bibelfest ...« – »Das macht nichts«, beruhigte ich sie; »ich bin sicher, du wirst eine wundervolle Patentante. Und davon abgesehen kennst du bestimmt mehr Worte aus der Bibel, als du ahnst.« – »Wer's glaubt, wird selig«, lachte Sibylle. »Das ist schon mal ein guter Anfang«, sagte ich. »*Wer's glaubt, wird selig* geht auf eine Stelle im Markus-Evangelium zurück, in der es heißt: *Wer da glaubt und getauft wird, wird selig werden.*« – »Tatsächlich? Das ist aus der Bibel?« – »Und das ist nur eins von mehreren Hundert geflügelten Worten, die aus der Bibel stammen«, sagte ich.
»Also, ich kenne höchstens *Auge um Auge, Zahn um Zahn*«, murmelte Sibylle. »Genau, das ist aus dem Alten Testament.« – »Und *Sodom und Gonorrhö*«, fiel Sibylle noch ein. »Du meinst Sodom und Gomorrha, die beiden Städte, die Gott mit Untergang bestrafte. Und ebenso kennst du den Ausdruck *zur Salzsäule erstarren,* der stammt gleichfalls aus dem 1. Buch Mose.« – »Ja, aber das war's dann auch«, sagte Sibylle. »Mehr kenne ich nicht. Adam und Eva, Kain und Abel, Noah und die Sintflut, aber dann verließen sie ihn, wie

man so schön sagt.« – »Bravo!«, lachte ich; »du hast soeben das Matthäus-Evangelium zitiert. Dort heißt es: *Da verließen ihn alle Jünger und flohen.* Dieser Satz wurde im Volksmund zu *Da verließen sie ihn* und wird heute auf alles angewandt, was uns im Stich lassen kann: unser Gedächtnis, das nötige Kleingeld, eine Batterie, eine Mobilfunkverbindung.« – »Für mich war die Bibel immer ein Buch mit sieben Siegeln«, gestand Sibylle. Es überraschte sie nur wenig zu erfahren, dass es sich auch dabei um ein Bibelzitat handelt, denn von einem Buch mit sieben Siegeln ist in der Offenbarung des Johannes die Rede. »Zum Glück«, sagte Sibylle, »spielt es heute keine Rolle mehr, welcher Konfession man angehört: katholisch oder protestantisch, danach kräht kein Hahn.« Ohne es zu wissen, hatte Sibylle mit dem krähenden Hahn abermals auf das Matthäus-Evangelium Bezug genommen, nämlich auf die Stelle, in der Petrus geweissagt wird, dass er Jesus dreimal verleugnen werde, ehe der Hahn kräht.

»*Es kräht kein Hahn danach* sagen wir zu einer Sache, die sich an Bedeutung mit Petrus' Verleugnung nicht messen kann und der daher kein Hahnenschrei folgen wird«, erklärte ich. »*Wer suchet, der findet* heißt es ebenfalls bei Matthäus, und man muss wirklich nicht lange suchen, um in der Alltagssprache Bibelworte zu finden. Der Wolf im Schafspelz, das salomonische Urteil, der barmherzige Samariter, der verlorene Sohn – alles Ausdrücke aus der Bibel. Und wenn dir etwas ein Dorn im Auge ist, dann liegt es daran, dass schon bei Moses vor Feinden gewarnt wird, die zu *Dornen in euren Augen werden.*« – »Kommen aus der Bibel denn etwa auch Sprichwörter wie *Der frühe Vogel fängt den Wurm?*«, fragte Sibylle. »Das zwar nicht, dafür aber andere. Zum Beispiel *Wer andern eine Grube gräbt, fällt selbst hinein,* das stammt aus den Sprüchen. Und aus den Psalmen kommt *Den Seinen gibt's der Herr im Schlaf* und *Ich wasche meine Hände in*

Unschuld.« – »War das mit dem Händewaschen nicht dieser Pontius, der zu Pilatus gegangen war?«, wandte Sibylle ein. »Richtig, auch Pontius Pilatus wusch seine Hände in Unschuld. Das kommt in der Bibel mehrfach vor. Genau wie *in Sack und Asche gehen.*« – »Bist du sicher, dass das kein Werbespruch eines Anbieters für Billigmode ist?«, scherzte Sibylle.

»Bestimmt hast du schon mal sprichwörtlich *Perlen vor die Säue* geworfen«, fuhr ich fort, »und damit eine Stelle aus dem Matthäus-Evangelium zitiert. Und sicherlich hast du auch schon mal gedacht: *Möge dieser Kelch an mir vorübergehen.* Das ist ebenfalls aus dem Matthäus-Evangelium.« – »Ich dachte, das sei eine schwedische Redensart und heißt: Möge dieser Elch an mir vorübergehen!«, sagte Sibylle, und diesmal war ich mir nicht sicher, ob sie scherzte. »Auch wenn du sprichwörtlich *auf Sand gebaut* hast, wenn dir *ein Licht aufgeht* und es dir *wie Schuppen von den Augen fällt,* zitierst du Stellen aus den Evangelien und der Apostelgeschichte.« Sibylle lachte: »Hach, dann bin ich ja wohl die reinste Evangelistin! Wenn schon keine Evangelista ...« – »Selbst bei so alltäglichen Wendungen wie *den Kopf hängen lassen, im Dunkeln tappen* oder *Blut und Wasser schwitzen* reden wir biblisch.« – »Dann brauche ich also nichts anderes zu tun, als mit meinem Patenkind so zu reden, wie ich immer rede«, sagte Sibylle, »und bringe ihm damit automatisch die Bibel näher.« Inzwischen war es dunkel geworden, und Sibylle schaltete die Wohnzimmerlampe an. »Es werde Licht!«, sagte sie weihevoll und fragte: »Das ist aber nicht aus der Bibel, oder?« – »Doch, doch«, erwiderte ich, »das steht gleich zu Beginn im 1. Buch Moses. Es sind die ersten Worte Gottes.« – »Mist«, sagte Sibylle, »und ich war mir sicher, dass es die letzten Worte Goethes waren!«

Von A und O bis zur Wurzel allen Übels – 60 Redewendungen aus der Bibel

Redewendung	Ursprung in der Bibel
das **A** und O	Offb 1,8: »Ich bin das A und O, der Anfang und das Ende, spricht Gott der Herr.«
in **Abrahams** Schoß	Lk 16,22: »Es begab sich aber, dass der Arme starb, und er ward getragen von den Engeln in Abrahams Schoß.«
ohne **Ansehen** der Person	1 Petr 1,17: »Und da ihr den Vater anrufet, der ohne Ansehen der Person richtet nach eines jeglichen Werk ...«
Asche aufs Haupt	Est 4,1: »... zerriss er seine Kleider und legte den Sack an und tat Asche aufs Haupt und ging hinaus mitten in die Stadt und schrie laut klagend.«
Auge um Auge, Zahn um Zahn	2 Mos 21,24: »Auge um Auge, Zahn um Zahn, Hand um Hand, Fuß um Fuß.«
etwas **ausposaunen**	Mt 6,2: »Wenn du nun Almosen gibst, sollst du nicht lassen vor dir posaunen, wie die Heuchler tun in den Synagogen und auf den Gassen, auf dass sie von den Leuten gepriesen werden.«
mit **Blindheit** geschlagen sein	1 Mos 19,11: »Und sie schlugen die Leute vor der Tür des Hauses, klein und groß, mit Blindheit, sodass sie es aufgaben, die Tür zu finden.«
Blut und Wasser schwitzen	Lk 22,44: »Und sein Schweiß wurde wie Blutstropfen, die auf den Boden fielen.«
ein **Buch** mit sieben Siegeln	Offb 5,1: »Und ich sah in der rechten Hand des, der auf dem Thron saß, ein Buch, beschrieben inwendig und auswendig, versiegelt mit sieben Siegeln.«
Denn sie wissen nicht, was sie tun	Lk 23,34: »Vater, vergib ihnen; denn sie wissen nicht, was sie tun!«
im **Dunkeln** tappen	5 Mos 28,29: »Und du wirst tappen am Mittag, wie ein Blinder tappt im Dunkeln.«
ein **Ende** mit Schrecken	Psalm 73,19: »Sie gehen unter und nehmen ein Ende mit Schrecken.«

Redewendung	Ursprung in der Bibel
mit **Engelszungen** auf jemanden einreden	1 Kor 13,1: »Wenn ich mit Menschen- und mit Engelszungen redete und hätte der Liebe nicht, so wäre ich ein tönend Erz oder eine klingende Schelle.«
jemanden unter seine **Fittiche** nehmen	Psalm 61,5: »Lass mich wohnen in deinem Zelte ewiglich und Zuflucht haben unter deinen Fittichen.«
Geben ist seliger denn nehmen	Apg 20,35: »... das Wort des Herrn Jesus, da er gesagt hat: Geben ist seliger denn nehmen.«
Wer sich in **Gefahr** begibt, kommt darin um	Sir 3,27: »Denn wer sich gern in Gefahr gibt, der verdirbt darin.«
(nicht) von **gestern** sein	Hiob 8,9: »Denn wir sind von gestern her und wissen nichts.«
Gewissensbisse haben	Hiob 27,6: »An meiner Gerechtigkeit halte ich fest und lasse sie nicht; mein Gewissen beißt mich nicht wegen eines meiner Tage.«
jedes Wort auf die **Goldwaage** legen	Sir 21,27: »Die Schwätzer reden, wovon sie nichts verstehen; die Weisen aber wägen ihre Worte mit der Goldwaage.«
Wer andern eine **Grube** gräbt, fällt selbst hinein	Psalm 7,16: »Er hat eine Grube gegraben und ausgehöhlt – und ist in die Grube gefallen, die er gemacht hat.«
auf keinen **grünen** Zweig kommen	Hiob 15,32: »Er wird ihm voll ausgezahlt werden noch vor der Zeit, und sein Zweig wird nicht mehr grünen.«
die **Haare** stehen zu Berge	Hiob 4,15: »Und ein Hauch fuhr an mir vorüber; es standen mir die Haare zu Berge an meinem Leibe.«
die **Hände** in Unschuld waschen	Psalm 26,6: »Ich wasche meine Hände in Unschuld und halte mich, Herr, zu deinem Altar.«
auf **Herz** und Nieren prüfen	Jer 11,20: »Aber du, Herr Zebaoth, du gerechter Richter, der du Nieren und Herz prüfst, lass mich sehen, wie du ihnen vergilst; denn ich habe dir meine Sache befohlen.«
ein **Herz** und eine Seele sein	Apg 4,32: »Die Menge aber der Gläubigen war ein Herz und eine Seele.«
jemandem sein **Herz** ausschütten	Psalm 62,9: »Hoffet auf ihn allezeit, liebe Leute, schüttet euer Herz vor ihm aus.«

Redewendung	Ursprung in der Bibel
sich etwas zu **Herzen** nehmen	2 Mos 7,23: »Und der Pharao wandte sich und ging heim und nahm's nicht zu Herzen.«
etwas in sich **hineinfressen**	Psalm 39,3: »Ich bin verstummt und still und schweige fern der Freude und muss mein Leid in mich fressen.«
Das ist mir zu **hoch**	Psalm 139,6: »Diese Erkenntnis ist mir zu wunderbar und zu hoch, ich kann sie nicht begreifen.«
Hochmut kommt vor dem Fall	Spr 16,18: »Wer zugrundegehen soll, der wird zuvor stolz; und Hochmut kommt vor dem Fall.«
jenseits von Eden	1 Mos 4,16: »So ging Kain hinweg von dem Angesicht des Herrn und wohnte im Lande Nod, jenseits von Eden, gen Osten.«
Eher geht ein **Kamel** durchs Nadelöhr	Mt 19,24: »Es ist leichter, dass ein Kamel durch ein Nadelöhr gehe, als dass ein Reicher ins Reich Gottes komme.«
Möge dieser **Kelch** an mir vorübergehen	Mt 26,39: »Mein Vater, ist's möglich, so gehe dieser Kelch an mir vorüber.«
den **Kopf** hängen lassen	Jes 58,5: »Soll das ein Fasten sein, an dem ich Gefallen habe, ein Tag, an dem man sich kasteit, wenn ein Mensch seinen Kopf hängen lässt wie Schilf und in Sack und Asche sich bettet?«
danach **kräht** kein Hahn	Mt 26,34: »In dieser Nacht, ehe der Hahn kräht, wirst du mich dreimal verleugnen.«
Krethi und Plethi	2 Sam 8,18: »Benaja, der Sohn Jojadas, war über die Krether und Plether gesetzt« (in Luthers Originaltext noch: Crethi vnd Plethi)
Jemandem geht ein **Licht** auf	Mt 4,16: »Und die da saßen am Ort und Schatten des Todes, denen ist ein Licht aufgegangen.«
durch **Mark** und Bein gehen	Hebr 4,12: »Denn das Wort Gottes ist lebendig und kräftig und schärfer denn ein zweischneidig Schwert und dringt durch, bis dass es scheidet Seele und Geist, auch Mark und Bein.«
nicht von dieser Welt sein	Joh 8,23: »Ihr seid von dieser Welt, ich bin nicht von dieser Welt.«

Redewendung	Ursprung in der Bibel
Nun hat die liebe Seele ruh	Lk 12,19: »Liebe Seele, du hast einen großen Vorrat auf viele Jahre; habe nun Ruhe, iss, trink und habe guten Mut!«
Perlen vor die Säue werfen	Mt 7,6: »Ihr sollt das Heilige nicht den Hunden geben, und eure Perlen sollt ihr nicht vor die Säue werfen.«
in **Sack** und Asche gehen	Dan 9,3: »Und ich kehrte mich zu Gott, dem Herrn, um zu beten und zu flehen unter Fasten und in Sack und Asche.«
zur **Salzsäule** erstarren	1 Mos 19,26: »Und Lots Weib sah hinter sich und ward zur Salzsäule.«
auf **Sand** gebaut	Mt 7,26: »Und wer diese meine Rede hört und tut sie nicht, der ist einem törichten Mann gleich, der sein Haus auf den Sand baute.«
wie **Sand** am Meer	1 Mos 32,13: »Ich will dir wohltun und deine Nachkommen machen wie den Sand am Meer, den man der Menge wegen nicht zählen kann.«
vom **Scheitel** bis zur Sohle	2 Sam 14,25: »Von der Fußsohle bis zum Scheitel war nicht ein Fehl an ihm.«
im **Schweiße** meines Angesichts	1 Mos 3,19: »Im Schweiße deines Angesichts sollst du dein Brot essen.«
Schwerter zu Pflugscharen	Mi 4,3: »Sie werden ihre Schwerter zu Pflugscharen und ihre Spieße zu Sicheln machen.«
wie **Schuppen** von den Augen fallen	Apg 9,18: »Und alsbald fiel es von seinen Augen wie Schuppen, und er ward wieder sehend.«
Den **Seinen** gibt's der Herr im Schlaf	Psalm 127,2: »Es ist umsonst, dass ihr früh aufstehet und hernach lange sitzet und esset euer Brot mit Sorgen; denn seinen Freunden gibt er es im Schlaf.«
die **Spreu** vom Weizen trennen	Mt 3,12: »Er wird seine Tenne fegen und den Weizen in seine Scheune sammeln; aber die Spreu wird er verbrennen mit unauslöschlichem Feuer.«
der **Stein** des Anstoßes	Jes 8,14: »Er wird ein Fallstrick sein und ein Stein des Anstoßes und ein Fels des Ärgernisses für die beiden Häuser Israel.«

Redewendung	Ursprung in der Bibel
keinen **Stein** auf dem anderen lassen	Mt 24,2: »Wahrlich, ich sage euch: Es wird hier nicht ein Stein auf dem anderen bleiben, der nicht zerbrochen werde.«
Da ist der **Teufel** los	Offb 20,7: »Und wenn die tausend Jahre vollendet sind, wird der Satan los werden aus seinem Gefängnis.«
Ein **Unglück** kommt selten allein	Hes 7,5: »So spricht Gott der Herr: Siehe, es kommt ein Unglück über das andere!«
und **ward** nicht mehr gesehen	1 Mos 5,24: »Und weil er mit Gott wandelte, nahm ihn Gott hinweg, und er ward nicht mehr gesehen.«
Was du nicht willst, das man dir tu, das füg auch keinem andern zu	Tob 4,16: »Was du nicht willst, dass man dir tue, das tue einem andern auch nicht.«
Wer suchet, der findet	Mt 7,8: »Denn wer da bittet, der empfängt; und wer da sucht, der findet; und wer da anklopft, dem wird aufgetan.«
in alle **Winde** zerstreut	Jer 49,32: »Ihre Kamele sollen geraubt und die Menge ihres Viehs genommen werden, und in alle Winde will ich die zerstreuen, die ihr Haar rundherum abscheren, und von allen Seiten her will ich ihr Unglück über sie kommen lassen, spricht der Herr.«
die **Wurzel** alles/allen Übels	1 Tim 6,10: »Denn Habsucht ist eine Wurzel alles Übels.«

zitiert nach der Bibelübersetzung Martin Luthers in der 1956 und 1964 vom Rat der EKD genehmigten Fassung, Stuttgart 1970.

Weiteres zu Redewendungen und Sprichworten:

»Licht am Ende des sturmverhangenen Horizonts« (»Dativ«-Band 1)
»Sprichwörtlich in die Goldschale gelegt« (»Dativ«-Band 2)
»Was man nicht in den Beinen hat …« (»Dativ«-Band 3)
»Alle Vögel sind schon da« (»Dativ«-Band 5)

Sind Gedichte uncool?

Die meisten Menschen, die ich kenne, lieben Gedichte, und die Älteren können oft noch ganze Balladen fehlerfrei aufsagen, die sie in ihrer Schulzeit gelernt haben. Doch das Auswendiglernen von Gedichten wurde weitestgehend aus dem Schulunterricht verbannt, auch wenn moderne Studien der Hirnforschung belegen, dass das Auswendiglernen entscheidend zur Entwicklung des Gedächtnisses beiträgt und ein intensiveres Erschließen und Genießen von Kunst ermöglicht.

In früheren Zeiten wusste man sich noch auf alles Mögliche einen Reim zu machen. Da reimte sich sogar die Werbung. In den 60er- und 70er-Jahren gab es Verse wie »Wer es kennt, nimmt Pepsodent«, »Neu lackieren ohne Mühen, nicht mehr streichen, lieber sprühen« und »Wenn dir so viel Gutes widerfährt, das ist schon einen Asbach Uralt wert«. Von aller Reime Pracht hat sich heute nur noch »Haribo macht Kinder froh – und Erwachs'ne ebenso« gehalten. Die meisten Werbesprüche unserer Zeit kommen laut, frech oder derb daher, doch reimen will sich keiner mehr.

In meiner Jugend gab es noch sogenannte Poesiealben, in die man einander Gedichte schrieb. Das musste nicht immer hohe Lyrik sein, meist waren es harmlose Weisheiten oder Lebensregeln, in denen es um Blumen, Freundschaft, Treue und andere Tugenden ging, so wie in diesem Klassiker:

»Sei wie das Veilchen im Moose
Bescheiden, sittsam und rein.
Und nicht wie die stolze Rose,
Die immer bewundert will sein.«

Die Poesiealben wurden von Freundschaftsalben abgelöst, in denen man nur noch einen vorgegebenen Fragebogen ausfüllen muss: »Deine Lieblingsfarbe? Dein Lieblingslied?«. Man muss dankbar sein, wenn die Antworten halbwegs korrekt geschrieben sind. Dass sie sich womöglich reimen – daran ist nicht mehr zu denken. Sind Gedichte uncool geworden?

Ich habe mir die Frage gestellt, was wohl wäre, würde Goethe heut noch leben. In dieser schnelllebigen, grellen, vernetzten Zeit, zwischen all den Bloggern, Chattern und Twitterern im Internet, zwischen all den Hochglanzformaten im Fernsehen wie DSDS, Big Brother, The Biggest Loser, die Geissens der Menschheit und Carmen im Nebel, in einer Sprache, die vor Modernismen und Anglizismen strotzt – wo wäre da sein Platz? Die Frage gebot es, dass ich dazu ein Gedicht schrieb. Dieses habe ich für die Bühne vertont, und meine Nichte Annika Trosien hat es illustriert. (Die farbige Version und auch die Gesangsfassung finden Sie auf meiner Internetseite.)

Würde Goethe heut noch leben

Würde Goethe heut noch leben,
Wär er sicherlich verwundert;
Weil wir alle anders reden
Als im 19. Jahrhundert.

Würde Goethe heut noch leben,
Müsst er Werbeslogans schreiben
Oder bloggen oder eben
Ein verkannter Autor bleiben.

Würde Goethe heut noch leben,
Der einst der Fürst der Dichter war,
Wär er von Dunkelheit umgeben
Oder wär er Superstar?

Würde Goethe heut noch dichten,
Käme er wie ein Gewitter
Über uns mit Kurzberichten
Via Facebook und auf Twitter?

Er könnt die Leiden des jungen Werther
Neu erzählen – nur viel härter;
Er müsst den Zauberlehrling lehren,
Sich gegen Voldemort zu wehren.

Würd es Goethe heut noch geben,
Hätte er es ganz schön schwer.
Denn von der Kunst des Dichtens leben,
Kann nur ein Installateur.

GHOST

Bei Nacht und Wind im schnellen Ritte
Winkten ihm schon bald Millionen
Als Ghostreiter für Dritte –
Zum Beispiel mit Dissertationen.

Des Pudels Kern ganz neu entdecken,
Mal seh'n, was da zu holen ist!
Und das Gretchen gründlich checken,
Und aus dem Faust wird »Mister Fist«.

Würde Goethe heut noch leben
Und er schrieb noch ein Gedicht –
Er würd ihm diese Widmung geben:
Ich wünsch euch allen hier: mehr Licht!

Die Geschichte des O

Alle Jahre wieder singen wir »O du fröhliche« und »O du selige«. Und manch einer fragt sich: Was ist das eigentlich für ein »O«, das da besungen wird? Ist es überhaupt ein Wort? O ja, das ist es in der Tat! Ein sehr gefühlvolles sogar. Und noch dazu das kürzeste Wort, das die deutsche Sprache zu bieten hat.

Kurz vor Weihnachten schrieb mir ein Leser aus O. Genauer gesagt: aus Oberderdingen. Das liegt nicht etwa, wie der Name vermuten ließe, hoch oben in den Bergen über allen Dingen, sondern in Baden-Württemberg im Landkreis Karlsruhe. Der Leser wollte wissen, ob das »o« in »O du fröhliche« ein Wort oder nur eine Singsilbe sei.

O lieber Leser, schrieb ich zurück, wie schön, dass Sie mich nach dem selten gewordenen, aber noch immer ungemein schmückenden »o« fragen!

In der Tat ist »o« ein Wort, wenn auch nur ein ganz kleines. Sprachwissenschaftler nennen es eine Partikel. Ungeachtet seiner Winzigkeit steht dieses »o« für hohe Werte: Es steht für Ehrfurcht, für Respekt, für Verbundenheit, für Liebe. Und das schon seit geraumer Zeit; denn dieses »o« existierte bereits bei den alten Römern, was lateinische Redewendungen wie »o tempora, o mores« (»O Zeiten, o Sitten«) noch heute bezeugen.
Schon die Römer gebrauchten das »o« bei der Anrede, und so kam dem »o« im Deutschen die Aufgabe zu, den Anredefall wiederzugeben; fachsprachlich auch bekannt als Vokativ.

Wenn Marcus und Brutus im Lateinischen plötzlich zu »Marce« und »Brute« werden, dann ist das nicht etwa ein

Schreibfehler oder eine Verniedlichung, sondern eine höfliche Form der Anrede. Die Endung auf -e markiert den Vokativ. Da es im Deutschen keinen Vokativ gibt, wird diese Form traditionell mit dem vorangestellten »o« wiedergegeben: »o Marcus!«, »o Brutus!« und natürlich auch »o Cäsar!«.

In zahlreichen Gedichten, Gebeten und Liedern erzeugt das »o« den weihevollen Klang einer gefühlsbetonten Anrede:

O Mond!
O mein Herz!
O meine Königin!
O Tannenbaum!
O du lieber Augustin!
O Jesulein süß!
O Herr!
O Gott!

Auch in anderen Sprachen lebte das lateinische Anrede-»o« munter fort. Im Italienischen (»O patria mia«), im Französischen mit einem Dach verziert (»Sois sage, ô ma douleur«), und auch im Englischen sind zahlreiche Beispiele zu finden: »O Captain, my Captain«, »O brother, where art thou«, »O holy night«.

Das »o« kann übrigens nicht nur vor Namen stehen, sondern auch vor Wörtern der Zustimmung und der Ablehnung:

O ja!
O nein!
O doch!
O weia, o weh!
Ojemine! (Eine Verballhornung von »O Jesus!«, die mit Rücksicht auf das zweite Gebot entstand.)

Wie so vieles ist dieses »o« irgendwann aus der Mode geraten. Wann immer man ein »o« liest oder hört, kann man sicher sein, dass es sich um einen überlieferten Text handelt. Kirchenlieddichter haben es manchmal auch als Lückenfüller eingesetzt und damit legendäre Mythen wie Owie erschaffen, jenen rätselhaften anderen Sohn Gottes, von dem man nur weiß, dass er lacht:

Stille Nacht, heilige Nacht!
Gottes Sohn – O wie lacht
Lieb' aus deinem göttlichen Mund.
Da uns schlägt die rettende Stund.
Christ, in deiner Geburt!

Die Frage, wer dieser »Owie« ist, der da so lacht, beschäftigt Kleine wie Große alle Jahre wieder. Meine Freundin Sibylle ist überzeugt, dass es sich um einen älteren Bruder von Jesus handeln müsse, der sich über die Geburt seines Brüderleins so sehr freute, dass er lachte. Wenn man widerspricht, setzt sie noch einen drauf: In Florenz sei ihm gar ein Museum geweiht worden! Und wenn man fragt, welches Museum sie meine, dann erwidert sie lachend: die Owiezien. O wie lustig!

»O« ist also in der Tat ein Wort. Und noch dazu das kürzeste Wort, das es in unserer Sprache gibt, denn es ist das einzige, das nur aus einem Buchstaben besteht.*

Das »o« ist ein gefühlsbetonter, verstärkender Anruf. Nicht zu verwechseln mit der Interjektion »oh!« mit »h«. Dies ist ein Ausruf des Staunens, des Bedauerns und des Entsetzens.

* Abgesehen natürlich von Dialektwörtern wie »a« (= ein) und »i« (= ich) sowie den Tonbezeichnungen C, D, E, F, G, A, H und B und dem französischen Importwort »à« (»3 Würstchen à 1,50 Euro«).

Während »O mein Herz« als eine sehr gefühlsbetonte, geradezu schmachtende Anredeform verstanden werden kann, liest sich »Oh! Mein Herz!« eher wie die Ankündigung eines Infarktes.

Im Unterschied zum Ausruf »oh«, der meistens durch ein Satzzeichen getrennt steht, kann das Anrede-»o« nicht allein stehen. Es dient ausschließlich der Verstärkung des unmittelbar folgenden Wortes oder Namens.

Nach diesen Ausführungen bleibt mir nur, Ihnen eine gefühlsbetonte Weihnachtszeit zu wünschen, und zwar mit einem O-Vers:

O Weihnacht, o komme, komm über mein Haus,
Komm über mein Viertel, komm über die Stadt.
O Weihnacht, o komme, erfülle das Land,
Bring Frieden den einen, den andern Verstand.
O Weihnacht, o komme, so will es der Brauch.
O Weihnacht, o komme, komm über mich auch.

Das längste deutsche Wort:
»Wortzusammensetzungen mit Überlängenhöchstwahrscheinlichkeit« (»Dativ«-Band 5)

Wörter mit seltener Endung:
»Fünf Wörter auf -nf« (»Dativ«-Band 2)

Wörter mit mindestens zwei »ü«:
»Übermütiges Vergnügen mit ›Ü‹« (»Dativ«-Band 5)

Was ist Liebe?

Zweifellos beschäftige ich mich gern mit der deutschen Sprache. Manchmal darf ich aber auch Fragen beantworten, die mit Rechtschreibung und Grammatik nur sehr entfernt zu tun haben. Anfang dieser Woche erhielt ich eine E-Mail von einer ehemaligen Kommilitonin, die mich fragte, ob ich wohl ihrer 14-jährigen Tochter im Rahmen eines Projekts für den Religionsunterricht ein paar Zeilen zum Thema »Was ist Liebe?« schreiben könne. Das sei zwar »eine zugegebenermaßen etwas globalgalaktische Frage«, aber vielleicht fiele mir ja etwas Passendes dazu ein. Ich sah darin eine willkommene Abwechslung, und so setzte ich mich mit einer Tasse Tee an meinen Schreibtisch, ließ den Blick hinaus in den milchig-trüben Herbsthimmel schweifen und sann darüber nach, wie ich einem jungen Menschen erklären soll, was Liebe ist. Möglichst ohne Pathos und Kitsch, aber dennoch so, dass es dem großen Thema einigermaßen gerecht wird. Und so schrieb ich:

Wissenschaftlich betrachtet ist Liebe das Ergebnis eines biochemischen Prozesses, wie alles hier auf unserem Planeten, wie das Leben selbst. Doch damit ist Liebe nur unzureichend erklärt. Denn Liebe ist ein Wunder. Allerdings kein Wunder, das vom Himmel fällt oder durch Zauberei geschieht, sondern ein alltägliches Wunder, das jedem widerfahren kann, immer wieder, immer anders.

Liebe kann die unterschiedlichsten Formen annehmen. Liebe kann Leidenschaft sein: der unbändige Drang, jemandem nahe zu sein. Liebe kann Fürsorge sein: das Gefühl, gebraucht zu werden und für jemanden verantwortlich zu sein. Liebe kann Freundschaft sein: ein Empfinden, das sich einstellt, wenn man mit Menschen zusammen ist, in deren Gegenwart man sich wohlfühlt. Liebe kann Mitgefühl sein, das man anderen entgegenbringt, die krank oder in Not sind.

Liebe verändert sich ständig, so wie alles Leben, alle Materie und alle Energie sich ständig verändern. Sie kann tosen und rauschen wie ein Wasserfall oder leise plätschern wie ein Bach; sie kann ein loderndes Feuer sein oder eine warme, ruhige Glut. Und selbst wenn sie zu erlöschen droht, verschwindet sie nie ganz.
Liebe ist die treibende Kraft, die den Menschen dazu gebracht hat, Musik zu komponieren, Blumen zu züchten und Gedichte zu schreiben. Liebe ist das Elixier, das den Menschen dazu bringt, sich selbst zu vergessen und über sich hinauszuwachsen. Liebe kann manchmal auch gefährlich sein, selbstsüchtig und zerstörerisch.

Im Unterschied zu anderen Kräften lässt Liebe sich nicht beherrschen und kontrollieren. Selbst wenn wir es wollten, könnten wir Liebe niemals einem Willen unterordnen. Darum kommt Liebe auch nicht in Gesetzestexten vor. Liebe lässt sich nicht einmal messen, weder in Litern, Gramm noch Kilometern.
Liebe kann wehtun und guttun, sie kann uns ebenso traurig wie glücklich machen, sie kann uns aufrichten, uns Flügel verleihen und uns in den Himmel heben. Liebe ist die Antwort auf die Frage, warum es uns gibt und was wir in diesem Universum verloren haben. Liebe besteht aus nichts und bedeutet alles.

Register

Zum Lesen, Lachen und Nachschlagen

Bastian Sick. Der Dativ ist ...
Folge 1. Taschenbuch.
Verfügbar auch als eBook

Bastian Sick. Der Dativ ist ...
Folge 2. Taschenbuch.
Verfügbar auch als eBook

Bastian Sick. Der Dativ ist ...
Folge 3. Taschenbuch.
Verfügbar auch als eBook

Bastian Sick. Der Dativ ist ...
Folge 4. Taschenbuch.
Verfügbar auch als eBook

Bastian Sick. Der Dativ ist ...
Folge 5. Taschenbuch.
Verfügbar auch als eBook

Witzig und unterhaltsam – Bastian Sicks Sprachkolumne begeisterte bereits Millionen Leser und zeigt immer wieder: Man lernt nie aus!

Leseproben und mehr unter www.kiwi-verlag.de

Besuchen Sie mich im Internet:
www.bastiansick.de

© Till Gläser

Und auf Facebook:
www.facebook.com/bastian.sick.live